Prestel-Museumsführer

Badisches Landesmuseum Karlsruhe

Prestel
München · London · New York

Badisches Landesmuseum Karlsruhe
Schloss, 76131 Karlsruhe

Telefon

Zentrale	0721-926-6514
Direktion	0721-926-65 01
Pressestelle	0721-926-63 89
Marketingreferat	0721-926-65 99
Bibliothek	0721-926-65 23
Anmeldung von Führungen	0721-926-65 20

(Montag bis Freitag 14–17 Uhr)

Telefax 0721-926-65 37
Internet www.landesmuseum.de
E-Mail info@landesmuseum.de

Öffnungszeiten*

Dienstag bis Donnerstag	10–17 Uhr
Freitag bis Sonntag	10–18 Uhr

Bibliothek

Dienstag bis Donnerstag	10–12 und 14–16 Uhr

Schlosscafé

Dienstag bis Sonntag	11–21 Uhr

Tel. 0721-966-45 71

Verkehrsverbindungen Straßenbahn

Vom Hauptbahnhof mit den Bahnen 2, S 1, S 4, S 11 bis zum Marktplatz
Zum Museum beim Markt (Karl-Friedrich-Str. 6): 30 Meter in Richtung Schloss
Zum Majolika-Museum: weitere 10 Minuten durch den Schlosspark

Parken

Tiefgarage Schlossplatz

Montag–Freitag	6 bis 21 Uhr
Samstag	6 bis 20 Uhr
Sonn- und feiertags	geschlossen

Parkplatz am Zirkel (hinter Hertie) auch am Sonntag geöffnet

Fotonachweis:
Badisches Landesmuseum, Thomas Goldschmidt
Kartografie: Kurt Ranger Design, Stuttgart-Feuerbach

Redaktion: Heidrun Jecht, Reinhard Sänger
Bildredaktion: Ingeborg Riegl

Die Deutsche Bibliothek – CIP Einheitsaufnahme
Ein Titeldatensatz für diese Publikation ist bei der Deutschen Bibliothek erhältlich.

Prestel Verlag
Mandlstraße 26
D-80802 München
Telefon 089/38 17 09-0
Telefax 089/38 17 09-35
www.prestel.de

Lektorat: Alexander Langkals
Produktion und Gestaltung: Verlagsservice G. Pfeifer, Germering, Karin Sohl
Satz: EDV-Fotosatz Huber, Germering
Druck und Bindung: Passavia, Passau
Repro: Repro Brüll, Saalfelden

Printed in Germany
ISBN 3-7913-2438-1 (deutsche Ausgabe)
ISBN 3-7913-2560-4 französische Ausgabe)

S.A.	Sabine Albersmeier
K.B.	Kristiane Burchardi
K.E.	Klaus Eckerle
S.E.	Susanne Erbelding
I.F.	Irmela Franzke
B.H.	Brigitte Heck
B.H.-S.	Brigitte Herrbach-Schmidt
G.K.	Gabriele Kindler
K.K.	Katja Kirch
F.L.	Friederike Lindner
M.M.	Michael Maaß
P.-H.M.	Peter-Hugo Martin
W.M.	Wolfram Metzger
S.M.-W.	Sabine Müller-Wirth
E.R.	Ellen Rehm
H.S.	Harald Siebenmorgen
P.S.	Peter Schmitt
R.W.S.	Reinhard W. Sänger
V.S.	Volker Steck

Inhalt

Vorwort

Das Badische Landesmuseum geht in seinen Ursprüngen auf die Kunstkammern der beiden badisch-markgräflichen Herrscherlinien Baden-Durlach und Baden-Baden im 16. Jahrhundert zurück. Seit dem 19. Jahrhundert wurden diese Sammlungen durch das Großherzogliche Haus Baden bis 1918 um Kunstwerke der Antike, ›vaterländische Altertümer‹ und Vorbildersammlungen historischen Kunstgewerbes wesentlich vermehrt. Nach 1945 konnte das Badische Landesmuseum als eines der großen landes-, kultur- und kunsthistorischen Museen von Baden-Württemberg sich durch vielfache Erwerbungen, vor allem durch Mittel der ›Museumsstiftung Baden-Württemberg‹ und des ›Lotto-Toto-Zentralfonds‹, neugestaltete Räume im Karlsruher Schloss, dem Stammhaus seit 1918, und acht Zweigmuseen erheblich entfalten und zu einem der großen international renommierten Museen Deutschlands werden. Seit Anfang der neunziger Jahre werden die Abteilungen im Karlsruher Schloss aktiv und mit hohen Mitteln ausgebaut und erweitert. Von der Steinzeit bis zur Gegenwart – das Badische Landesmuseum versteht sich als kulturgeschichtliches Universalmuseum, das Zeugnisse der Kunst, des Kunsthandwerks, der regionalen Landesgeschichte, der Volkskunde und der Alltagskultur zu einer großen kulturhistorischen Sicht zusammenführt und vernetzt. Jenseits akademischer Schubladen ist es dies, was den Besucher in einem solchen Haus interessiert und was auch dem heute allgegenwärtigen Trend zur Spezialisierung eine kultur- und geisteswissenschaftliche Gesamtbildung gegenüberstellt.

Das Kapitel der ›angewandten Kunst des 20. Jahrhunderts‹ ist mit seiner

Candida Höfer (geb. 1944), Schloss Karlsruhe, Serie von 5 Fotografien, 1999, C-Print

Die Porzellansammlung im westlich gelegenen Obergeschosssaal

herausragenden Sammlung vom Jugendstil aus den verschiedensten europäischen Zentren über Art déco und Bauhaus bis zum postmodernen Design seit 1993 in einer eigenen Zweigstelle, dem ›Museum beim Markt‹, ausgegliedert und in diesem Band nicht berücksichtigt – dazu liegt ein eigener Führer vor. Dagegen ist das Programm unseres Hauses, in jede historische Sammlungsabteilung ein zeitgenössisches Kunstwerk zu implementieren, das ›im Dialog‹ historische Themen – streitig und streitbar – interpretiert, Teil der anspruchsvollen Bildungsarbeit des Badischen Landesmuseums. In diesem Führer sind diese Kunstwerke jeweils bei den Einführungstexten dokumentiert. Auch die in diesem Vorwort abgebildeten Fotografien der Künstlerin Candida Höfer sind ein zeitgenössischer Beitrag zur Sicht unseres Hauses im Karlsruher Schloss.

Das Badische Landesmuseum versteht sich als besucher- und dienstleistungsorientiertes Haus für breite Bevölkerungsschichten, für das das Publikum im Mittelpunkt steht und Wissenschaft darin im Ganzen eine dienende Funktion einnimmt. Dazu will auch dieser Führer in einer kulturellen Gesamtschau beitragen. Entsprechend dem Charakter unseres Hauses stellt er unterschiedliche Themenbereiche interdisziplinär dar. Gerade darin besteht die Stärke eines solch großen, international orientierten Hauses wie dem Badischen Landesmuseum.

Museumsdemoskopen haben ermittelt, dass – potenzielle – Besucherinnen und Besucher in unserem Hause in erster Linie Aufschluss über ›Land und Leute‹ erwarten, d.h. die Geschichte, Kultur und Kunst des badischen Landesteils von Baden-Württemberg. In der Neupräsentation unserer Abteilungen nehmen wir darauf verstärkt Bezug. Das Badische Landesmuseum ist aber auch ein Haus, das die regionale Kultur Badens in

Inszenierung in der Sammlung ›Türkenbeute‹

Dialog setzen kann mit Zeugnissen der Kunst und Geschichte des ganzen Abendlandes. Eine der besten Antikenabteilungen in deutschen Museen, mittelalterliche Skulpturen aus ganz Mitteleuropa, die weltberühmte ›Türkenbeute‹ oder die Kunst des 18. und 19. Jahrhunderts vermögen es, ständig diesen Dialog deutlich zu machen, in dem Baden als Brennspiegel überregionaler Einflüsse in Erscheinung tritt. Mehr als 300 Sammlungsobjekte – einer Auswahl der wichtigsten aus über 200 000 – werden in diesem Führer vorgestellt. Nur eingeschränkt vermag ein solcher Führer allerdings die lebendige, inszenierte Präsentation unserer Sammlungen zu veran-

Candida Höfer (geb. 1944)
Schloss Karlsruhe, Serie von 5 Fotografien, 1999, C-Print

schaulichen, mit der wir unser Museum als ›Erlebnisort‹ mit unverwechselbarem Charisma und zugleich Stätte aufklärender Bildungsarbeit über uns, den Menschen, die Gesellschaft und ihre Geschichte verstehen. Das versuchen wir mit attraktiven, spannend in Szene gesetzten Neupräsentationen unserer Sammlungen, der Museumspädagogik, neuen Formen des Marketings und der PR-Arbeit, daneben aber auch mit einem umfassenden Ausstellungsprogramm einzulösen. Dazu gehört, dass das Badische Landesmuseum z.B. Pionier in Deutschland in der Vermittlung der Museumsthemen durch die Theaterpädagogik und das Theaterspiel ist. Ansonsten setzt das Haus auf die ›selbstevidente Didaktik‹, die den Besucherinnen und Besuchern – ca. 300 000 im Jahr – die Museumsinhalte nahe bringt.

»Im Mittelpunkt steht der Mensch«, ist das Motto des Badischen Landesmuseums. Dies steht auch für diesen Führer, für dessen Zustandekommen ich aus unserem Hause Reinhard Sänger und Heidrun Jecht als Redaktion, unterstützt von Ingeborg Riegl, den Autorinnen und Autoren, dem Fotografen Thomas Goldschmidt sowie dem Prestel-Verlag herzlich danke.

Harald Siebenmorgen

Petra Scheer (geb. 1959)
Im Mittelpunkt steht der Mensch, 1998, Siebdruck auf Baumwollstoff

1. Das Badische Landesmuseum: Seine Geschichte, seine Sammlungen

Schloss und Hof in Karlsruhe

1715 gründete Markgraf Karl Wilhelm von Baden-Durlach Schloss und Stadt Karlsruhe zugleich mitten im Hardtwald. Ein Segment der damals angelegten, vom Schlossturm ausstrahlenden 36 Schneisen, der sogenannte Fächer, bildet die Grundstruktur der Stadt. Dieser Residenzbau wurde bald baufällig. Unter Einbeziehung vorhandener Bauteile ließ ihn der spätere Großherzog Karl Friedrich erneuern und ausstatten. Baden galt unter seiner Herrschaft als Musterland eines gut regierten Staates. Seine außergewöhnlich gebildete Gemahlin Karoline Luise mehrte den Ruhm des Hofes durch ihren Briefwechsel mit der gelehrten Welt ihrer Zeit und ihre Sammeltätigkeit. Unter Großherzog Karl, dem Enkel Karl Friedrichs, und seiner Gemahlin Stéphanie Beauharnais wurde das Schloss im Empirestil neu möbliert, so wie jeder Fürst Veränderungen im Schloss und in den umliegenden Anlagen vornehmen ließ. Ab 1852 bzw. 1857 bestimmten Friedrich I. und Luise für viele Jahre das Geschick des Landes. Die große Verbundenheit der Bevölkerung mit ihnen spiegelt sich deutlich in zahlreichen Geschenken, die dem Herrscherpaar zu verschiedenen Jubiläen verehrt wurden und die Zeugnis vom hohen Stand des Handwerks und der Industrie im Großherzogtum Baden ablegen. Friedrich II. bewohnte das Schloss selbst nicht mehr, es diente nur noch als Regierungssitz. Nach dem Ersten Weltkrieg und dem Ende der Monarchie zogen die Großherzogliche Altertümersammlung und die Bestände des Gewerbemuseums in das Schloss und wurden hier zum Badischen Landesmuseum vereint. B. H.-S.

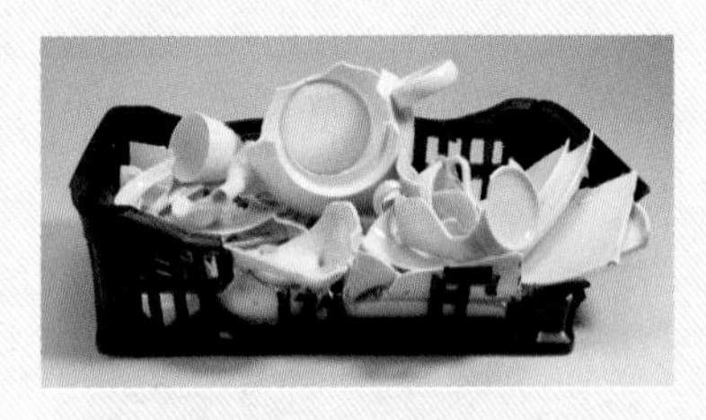

Anne und Patrick Poirier
(beide geb. 1932)
Ausgrabungen, 1998
Limoges-Porzellan

Durch Zerstörung freigesetzte Erinnerungen ist das Thema des französischen Künstlerpaars – auch am Beispiel des schlichten Gebrauchsporzellans, wie es an den Höfen im 18. Jahrhundert – auch in schlichter Form – verbreitet war und in fast jedem Haushalt bis heute ist.

Porträt des Markgrafen Karl Wilhelm von Baden-Durlach
Wohl Werkstatt von
Johann Ludwig Kisling um 1775
Öl auf Leinwand, H. 151 cm, B. 117 cm
Inv. Nr. R 514

Karl Wilhelm (1679–1738) trat 1709 die Regentschaft in Durlach an. 1715 verlagerte er seine Residenz in die unbewohnte Waldebene im Rheintal und begann mit dem Bau eines Schlosses und einer planmäßigen Stadtanlage – Karlsruhe. Nach dem Vorbild des französischen Versailles erfolgte die Anlage radialförmig vom Mittelpunkt des Schlossturmes her, wandelt dieses absolutistische Schema aber eigenständig als Dreiecksanlage zwischen neun von 32 Strahlen ab. Die Grundsteinlegung verband der Markgraf mit der Stiftung eines neuen »Ordens der Treue« (Fidelitas); den Neubürgern gewährte er ein kostenloses Grundstück und unbeschränkte religiöse Toleranz. Seinen Hofstaat führte Karl Wilhelm als barocker Potentat, er huldigte der Jagd- und Gartenleidenschaft, hielt sich die »Tulpenmädchen«, Gärtnerinnen und Blumenmalerinnen, Sängerinnen, Musikantinnen und zahlreiche Mätressen.
H.S.

Medaille Stadt Karlsruhe
Jonas Thiébaud (1695–1770)
Neuchâtel (?), 1720
Gold, Dm. 46 mm
Inv. Nr. I.23.5

Ansicht der Stadt und des Schlosses Karlsruhe mit dem umgebenden Park aus der Vogelperspektive. Diese meist als Stadtgründungsmedaille bezeichnete Prägung ist erst 1720 zum fünften Jahrestag der Grundsteinlegung des Karlsruher Schlosses durch Markgraf Karl Wilhelm am 17. Juni 1715 entstanden. Da Baden-Durlach damals keine eigene Münzstätte besaß, wurde sie in der Schweiz in Auftrag gegeben. P.-H.M.

Frühstücksservice für zwei Personen
Durlach, um 1765
Fayence, Tablett: L. 36 cm, B. 31,9 cm
Inv. Nr. 95/924

Als Vorlage für die topographisch genaue Ansicht der Stadt Karlsruhe auf dem Tablett diente ein Stich des Straßburger Kupferstechers Johann Striedbeck nach einer Zeichnung von G. N. Fischer. Die Malerei unterstreicht die Regelmäßigkeit der erst 50 Jahre zuvor gegründeten Stadtanlage, die als Inbegriff einer absolutistischen Planstadt berühmt wurde. Das für die Markgräfin Karoline Luise von Baden ausgeführte Service mit Ansichten des Schlosses auf den Geschirrteilen wurde in der Fayence-Manufaktur Durlach in grüner Scharffeuermalerei ausgeführt. Es belegt den hohen Rang der 1723 mit Privileg des Stadtgründers Karl Wilhelm von Baden-Durlach gegründeten Manufaktur. I.F.

Taufgarnitur für Markgraf Karl Friedrich

Becken: Augsburg, um 1720. Kanne: Johann Ernst Croll, Durlach, 1728
Silber, Kanne: H. 26 cm,
Becken: Dm. 40 cm
Inv. Nr. L 169 (Dauerleihgabe der Stadtkirche Durlach)

Markgräfin Magdalene Wilhelmine von Baden-Durlach stiftete, wie die ausführliche Inschrift auf der Kanne zu erkennen gibt, diese Taufgarnitur anlässlich der Geburt eines »gesunden Prinzen« am 28.11.1728, dem späteren ersten badischen Großherzog Karl Friedrich, für die Durlacher Stadtkirche. Das Augsburger Becken (Meistermarke verschlagen) wurde mit der vom Durlacher Silberschmied gearbeiteten Kanne zu einer Taufgarnitur vereint. R.W.S.

Markgräfin Karoline Luise von Baden mit ihren Söhnen Karl Ludwig und Friedrich
Joseph Melling, 1757
Öl auf Leinwand,
H. 102,5 cm, B. 135 cm
(Leihgabe der Musées de France)

Als Markgraf Karl Friedrich 1751 die hessisch-darmstädtische Prinzessin Karoline Luise (1723–1783) ehelichte, wurde sie bereits als »hessische Minerva« gerühmt. Vielseitig gebildet, förderte sie am badischen Hof die Bibliothek, die Gemäldegalerie, das Naturalienkabinett und die Aufklärungswissenschaften. Johann Caspar Lavater nannte sie »die Vielwisserin und Vielfragerin von Baden«; auch Voltaire hat sie überaus bewundert. Aufgrund der langen Regentschaftszeit ihres Mannes gelangte keiner ihrer beiden im Bild dargestellten Söhne auf den badischen Thron, sondern zunächst ihr Enkel Karl und erst dann ihr drittältester Sohn Ludwig. H.S.

Frühstücksservice
Niederweiler, 1765–68
Porzellan, Tablett: L. 28,5 cm, B. 19 cm
Inv. Nr. 95/1169

Dem Aufbau eines Naturalienkabinetts galt das besondere Interesse der badischen Markgräfin Karoline Luise. Auch der Erwerb dieses Services diente vor allem dem wissenschaftlichen Interesse der Fürstin, die sich über die Zusammensetzung der Porzellanmasse zu informieren suchte. Der Fayencemanufaktur in Niederweiler in Lothringen konnte für kurze Zeit eine Porzellanmanufaktur angegliedert werden, die unter der Direktion von Baron Beyerle zu erstaunlichen Ergebnissen mit weißer Masse und feinster Malerei gekommen war. I.F.

Pultschreibtisch
Abraham Roentgen
Neuwied, um 1760–70
Mahagoni und weitere Edelhölzer auf Eiche und Nadelholz furniert, Beschläge: Bronze, vergoldet,
H. 97 cm, größte B. 106 cm, T. 56 cm
Inv. Nr. 95/923

Aus der berühmten Werkstatt von Abraham und David Roentgen hat der badische Hof im Lauf der Zeit eine ganze Reihe von Möbeln bezogen. Das Markgrafenpaar Karl Friedrich und Karoline Louise gehörte zu den ständigen Kunden der Roentgen-Werkstatt, zu der auch über die reinen Geschäftsverbindungen hinausreichende Kontakte bestanden. Unter den Möbeln erfreute der hier gezeigte Pultschreibtisch sich noch bei den späteren Besitzern großer Wertschätzung; Großherzog Friedrich I. verwendete ihn in seinem Arbeitszimmer. Das Mahagonifurnier ist für Möbel des späten Rokoko, dem der Schreibtisch formal noch zugehört, ungewöhnlich; erst im Klassizismus fand das exotische Holz weite Verbreitung. P.S.

Tischuhr mit Flöten- und Orgelspielwerk
Paris, um 1770
Bronze, feuervergoldet, Schildpatt,
H. 112 cm
Inv. Nr. L 75 (Dauerleihgabe der Baden-Württembergischen Bank)

Die außergewöhnliche Uhr in Formen des Frühklassizismus mit Personifikationen der vier Erdteile verfügt über ein Flötenwerk mit 14 Pfeifen

und ein Carillon mit 10 Glocken. Die durch zwei Federhäuser und Blasebalge betriebene Mechanik spielt acht Melodien. Das 8-Tage-Gehwerk ist sekundär. Werk und Gehäuse sind nicht signiert. Erst 1859 wird die Uhr als im »Bilderzimmer des Großherzogs« stehend erwähnt. R.W.S.

Kaminuhr
›Ritterschlag des Bayard‹
Lucien François Feuchère (?)
Paris, um 1812
Bronze, vergoldet, Marmor,
H. 69,5 cm
Inv. Nr. L 76 (Dauerleihgabe der Baden-Württembergischen Bank)

Die ritterliche Tugend der Großherzigkeit verkörpert die historische Darstellung des Ritterschlags durch den französischen König Franz I. an Pierre du Terrail, Seigneur de Bayard (1476–1524). Das 8-Tage-Werk mit Glocke ist im Betpult untergebracht. Die 1814 erstmals im Inventar des Karlsruher Schlosses erwähnte Uhr stand im Thronsaal Großherzog Karls. Das ebenfalls erhaltene Gegenstück mit Mars und Venus befand sich im Audienzsaal der Großherzogin Stephanie. R.W.S.

Vase mit Porträt der Prinzessin Luise von Baden
Sèvres, 1814
Porzellan, H. 56 cm
Inv. Nr. 76/95

Die schlanke hohe Vase in Spindelform mit als Schwanenköpfen ausgebildeten Henkeln gehörte der badischen Großherzogin Stephanie von Baden, der Adoptivtochter Napoleons. Sie zeigt in einem Medaillon ihre 1811 geborene Tochter Luise als Kind in einer idealen Landschaft. Die für die Manufaktur Sèvres charakteristische reiche Goldmalerei auf einfarbigem Grund überzieht den Gefäßkörper. Über Herstellung und Verkauf der Vase geben die Akten im Firmenarchiv von Sèvres Auskunft. Demnach hielt sich der zu der Zeit als Porzellanmaler in Sèvres tätige Nicolas Jacques (1780–1844) im Jahr 1813 in Karlsruhe auf, wo er die kleine Prinzessin porträtierte. I.F.

Schreibtisch
wohl Karlsruhe, um 1845–50
Mahagoni auf Eiche furniert, Pappel, Erle, H. 143 cm, B. 149,5 cm, T. 78,5 cm
Inv. Nr. 95/1174

Das ebenso prunkvolle wie funktional durchdachte Möbel wurde wahrscheinlich für Großherzog Leopold angefertigt. Zahlreiche große und kleine Schubladen bieten Ordnungs- und Stauraum. Bei der über die gesamte Breite reichenden Schublade lässt sich in herausgezogenem Zustand die Vorderfront abklappen, sodass sich eine bequeme Schreibfläche ergibt, die mit grünem Leder ausgeschlagen ist. Großherzog Friedrich I. schätzte diesen Schreibtisch seines Vaters so sehr, dass er ihn später in seinem Arbeitszimmer nutzte, in dessen Inventar er 1859 als »ein ganz großer Schreibtisch von Mahagoniholz mit Aufsatz, Schubladen mit Thüren, vom Bildhauer geschnitten« verzeichnet ist. P.S.

Der Oberrheinkreis
Anselm Feuerbach (1829–1880)
Karlsruhe, 1854–55
Öl auf Leinwand, H. 84 cm, B. 120 cm
Inv. Nr. R 31

Nach dem Malereistudium in Düsseldorf hielt sich der in Freiburg aufgewachsene Anselm Feuerbach ein Jahr in Karlsruhe am Hofe auf, bevor er nach Italien ging. Im Auftrag Friedrichs I. malte er für zwei Schlossräume acht über den Türen angebrachte allegorische Bilder, von denen vier die freien Künste, die anderen die vier Verwaltungskreise des Großherzogtums Baden darstellen: Unterrhein (Mannheim), Mittelrhein (Karlsruhe), Seekreis (Bodensee) und den Oberrheinkreis, den ein auf eine Schwarzwalduhr gestützter Putto mit Ausblick auf das Freiburger Münster und die Rheinebene verkörpert. H.S.

Silbergeschenk badischer Städte und Gemeinden zur Hochzeit des Erbgroßherzogs Friedrich
Heidelberg (N. Trübner), Karlsruhe (L. Paar), Mannheim (K. Heisler), 1888
Silber, teilvergoldet, H. 141 cm
Inv. Nr. 95/922

In Anlehnung an das Silbergeschenk preußischer Städte zur Vermählung des Prinzen Wilhelm von Preußen (1880) entschieden die badischen Städte und Gemeinden, anlässlich der Hochzeit von Erbgroßherzog Friedrich mit Hilda von Luxemburg und Nassau (1885) einen fünfteiligen Tafelaufsatz »als Denkmal badischer Kunst-

fertigkeit« arbeiten zu lassen. Nach Entwurf von Direktor Hermann Götz fertigten die führenden Hofjuweliere und Silberarbeiter ein figurenreiches Werk (Modelle: Bildhauer Hermann Volz), dessen allegorisches Programm auf die Hochzeit und auf charakteristische Merkmale badischer Städte und Regionen Bezug nimmt. R.W.S.

Adressenschrein
Entwurf: Hermann Götz, Karlsruhe
Ausführung: Ludwig Bertsch, Rudolf Mayer u.a., Karlsruhe, 1892–95
Verschiedene Hölzer, Silber,
H. 100 cm, B. 94 cm, T. 78 cm
Inv. Nr. 96/395

Der aus Anlass des vierzigjährigen Regierungsjubiläums des Großherzogs Friedrich I. von badischen Städten und Gemeinden in Auftrag gegebene Adressenschrein gilt als ein »Hauptwerk des deutschen Späthistorismus«. Hinter den Doppeltüren befindet sich ein Porträt Großherzog Friedrichs von Baden sowie ein Fach mit sechs Alben gebundener Glückwunschadressen aller badischen Kreise und Gemeinden. R.W.S.

›Zeitgeist und Staatsschiff‹
Hermann Volz (1847–1941)
Karlsruhe, 1896
Guss: H. Pelargus, Stuttgart
Bronze, H. 142 cm
Inv. Nr. 95/1250

Das aufwändige Werk nach Entwurf des damals führenden badischen Bildhauers Hermann Volz (1847–1941) entstand als ambitioniertes Geschenk der acht großen badischen Städte zum 70. Geburtstag des badischen Großherzogs Friedrich I. Es symbolisiert das Selbstverständnis des badischen Staates als ›Musterländle‹ zur Zeit des Wilhelminischen Kaiserreichs. Getragen vom ›Zeitgeist‹, einer Allegorie des Fortschritts und Li-

beralismus, wird das badische Staatsschiff vom Großherzog gesteuert und enthält als Insassen die Personifikationen des ›Lehrstandes‹ (Schulen und Universitäten), des ›Nährstandes‹ (Landwirtschaft, Handwerk und Handel) und des ›Wehrstandes‹ (Militär) als Verkörperungen der Gesellschaft. Indem der Soldat, der den »Wehrstand« verkörpert, als Wächter der deutschen Kaiserkrone dargestellt ist, wird das Großherzogtum Baden als erster Hüter der Kaiserreichsidee propagiert. Friedrich I. war Schwiegersohn Kaiser Wilhelms I., brachte das formelle »erste Hoch« auf ihn bei der Kaiserproklamation in Versailles 1871 aus und verfolgte den politischen Kurs von dessen Enkel Wilhelm II. seit 1888 mit großer Skepsis. H.S.

Die großherzoglich badische Krone

Karlsruhe, 1811

Silber, vergoldet, Samt, Email, Edelsteine, H. 26 cm

Inv. Nr. G 7040 (Dauerleihgabe der Staatsschuldenverwaltung)

Mit der Erhebung der Markgrafen von Baden zu Großherzögen 1806 benötigte man nun der neuen königlichen Würde entsprechende Herrschaftszeichen. Mit dem Ableben des ersten Großherzogs Karl Friedrich 1811 wurde das Problem dringend. Für die Trauerfeierlichkeiten schuf man in Eile eine Krone aus Silberblech und Pappmaché mit textilem Überzug; der kostbare Steinbesatz wurde durch die Umarbeitung von Schmuck und durch die Ent-

nahme von im Zuge der Säkularisation konfiszierten Kirchenschätzen gewonnen. Durch die Modifikation eines siebenbürgischen Streitkolbens (um 1600) und des fürstbischöflich-speyerischen Zeremonialschwertes (Augsburg, um 1730) gelangte man zu Zepter und Schwert. R.W.S.

Ensemble aus dem ehemaligen Thronsaal der Großherzöge von Baden
Karlsruhe, um 1838
Linde, weiß gefasst und vergoldet, Bronze, vergoldet, Samt mit Goldstickerei
Thronsessel: H. 137,5 cm, B. 82 cm, T. 91 cm
Inv. Nr. R 113–133

Aus dem ehemaligen Thronsaal haben sich der Thronsessel mit Thronhimmel und Draperien, zwei Konsoltische, acht Hocker, sechs Gueridons und zwei Ständer, an denen die Draperien des Thronhimmels befestigt waren, erhalten. Sie sind heute nicht ganz vollständig im ehemaligen Marmorsaal, dem zentralen Raum der Beletage, ausgestellt, der allerdings nicht der ursprüngliche Aufstellungsort war. Dieser wechselte unter den verschiedenen regie-

renden Großherzögen mehrmals. Eingerichtet wurde der Thronsaal während der Regierungszeit Großherzog Leopolds in den Formen des Empirestils, der bis weit ins 19. Jahrhundert hinein für fürstliche Repräsentationsmöbel verbindlich blieb. In sein Repertoire gehört nicht nur die auf Weiß, Gold und Rot gestimmte Farbigkeit des Raumes, sondern auch die Palmetten und Rosetten, die als Stickereien und Ornamente aus vergoldeter Bronze die Bezüge und Gestelle der Möbel zieren. Die großen Greife, die als seitliche Stützen den Thronsessel und die Konsolen tragen, sind die Wappentiere des badischen Fürstenhauses. P.S.

Toilettenservice Großherzogin Stephanie von Baden
Martin-Guillaume Biennais
Paris, 1811–12
Silber, vergoldet, Gold
Verschiedene Maße
Inv. Nr. 77/56

Am 30. Mai 1811 erteilte Großherzog Karl Friedrich von Baden den Auftrag, anlässlich »des ersten Wochenbettes« der Erbgroßherzogin Stephanie von Baden (1789–1860) »eine Toilette, theils in vermeil, theils in purem inländischem Rhein Gold bestehend« im Wert von 50 000 Francs bei dem Pariser Hofgoldschmied Biennais arbeiten zu lassen. Das überaus kostbare, aus 43 Teilen bestehende Service traf am 4. Januar 1813 in Karlsruhe ein und diente fortan zur Repräsentation – nur wenige Teile wurden wirklich benutzt. Amor und Psyche (nach Entwurf von Augustin Dupré) flankieren den Spiegel. Die antikisierenden Reliefdarstellungen (Toilette der Braut, Apoll, Minerva und Herkules, Aldobrandinische Hochzeit sowie die Geburt) nehmen Bezug auf den Anlass der Schenkung: der Geburt von Prinzessin Luise am 5. Juni 1811, die aus der politisch motivierten Verbindung von Erbgroßherzog Karl von Baden mit Stéphanie de Beauharnais (Hochzeit 1806), einer Adoptivtochter Napoleons, hervorging. R.W.S.

Die markgräflich-badischen Sammlungen

Fürstengalerie, Kunst- und Wunderkammer, Münzsammlung

Schon vor dem 19. Jahrhundert sind in den Fürstenhäusern Badens Sammlungen entstanden, die heute wesentliche Bestände des Badischen Landesmuseums ausmachen. Dazu gehören eine Kunst- und Wunderkammer, deren authentisch badische Objekte erst 1995 in den Besitz des Museums gelangten, ein Münzkabinett, eine Waffensammlung und die weltberühmte ›Türkenbeute‹. Eingangs präsentiert eine Badische Fürstengalerie einen kurzen Abriss der Landesgeschichte. Biographien der Regenten von Christoph I. (1453–1527) bis Karl Friedrich (1728–1811), der katholischen bernhardinischen Linie (Baden-Baden/Rastatt) und der protestantischen ernestinischen Linie (Durlach/Karlsruhe) verdeutlichen die politische und kulturelle Funktion der Markgrafen und Großherzöge. Die Kunst- und Wunderkammer des 16. Jahrhunderts gilt als Ursprung allen fürstlichen Sammelns und war in beiden badischen Fürstenhäusern vorhanden. In ihrer Vielfalt stellt sie ein Spiegelbild des Weltganzen im Kleinen dar. Beispiele aus dem Naturreich (Naturalia), solche hoher menschlicher Kunstfertigkeit (artificialia) und wissenschaftlich-technischer Errungenschaften (scientifica) werden zusammengetragen. Diese ›Kuriositätenkabinette‹ wandeln sich im Laufe der Zeit zu ›Vernunftgemächern‹ mit wissenschaftlich-didaktischem Interesse. Das Münzkabinett war früher Bestandteil dieser Sammlungen. Schwerpunkte bilden Münzen der Griechen und Römer, Medaillen und Münzen des Oberrheins sowie geschnittene Gemmen und Kameen. R.W.S.

Karsten Bott (geb. 1958)
Von jedem Eins. Kopfgroß, 2000
60-teilige Installation

Karsten Bott sammelt und arrangiert Objekte unseres gegenwärtigen Alltags in der Art eines imaginären Heimatmuseums. Er rückt die Objekte in eine Fremdheit, die – wie in historischen Kunst- und Wunderkammern – zum Staunen und Wundern herausfordern.

Markgräfin Sibylla Augusta von Baden mit ihren zwei Kindern
Anna Maria Braun (1642–1713)
Nürnberg (?), 1698/1707
Farbiges Wachs, Haare, Stoff, verglaster Holzrahmen,
H. 43 cm, B. 23 cm
Inv. Nr. 95/845

Wachsporträts waren in der Barockzeit sehr beliebt. Anna Maria Braun hat diese Kunst von ihrem Vater, dem Medailleur am Durlacher Hof, Georg Pfründt, erlernt. Das Bildnis zeigt Sibylla Augusta, geborene Prinzessin von Sachsen-Lauenburg und Gemahlin des Markgrafen Ludwig Wilhelm von Baden, mit zweien ihrer Kinder. Ebenfalls erhalten haben sich Wachsporträts des Markgrafen Hermann von Baden-Baden und des Kaisers Joseph als Erzherzog. B.H.-S.

Tischdenkmal für Markgraf Karl Friedrich von Baden-Durlach
Süddeutsch, 1746
Farbiges Wachs, gefasst und vergoldet, H. 59 cm
Inv. Nr. 95/855

Für Entwürfe von Skulpturen oder Dekorationen war das leicht zu bearbeitende Wachs ein beliebter Werkstoff. Auf Grund des jugendlichen Alters des dargestellten Erbprinzen Karl Friedrich (1728–1811) und der Form der Rocaille am Sockel kann vermutet werden, dass hier eine anlässlich seiner Regierungsübernahme (1746) geschaffene Tischdekoration vorliegt. Ein »richtiges« Denkmal bekam der erste badische Großherzog erst 1844 gesetzt. B.H.-S.

Wasserspeier in Form eines Löwenkopfes
Sizilisch, um 1180
Bergkristall, L. 21 cm
Inv. Nr. C 5959

Der aus einem 5,7 kg schweren Bergkristallstück geschnittene Löwenkopf zählt zu den bedeutenden, fatimidisch beeinflussten und in Sizilien gearbeiteten Kristallarbeiten des 12. Jahrhunderts. Er diente wohl in einem Palast

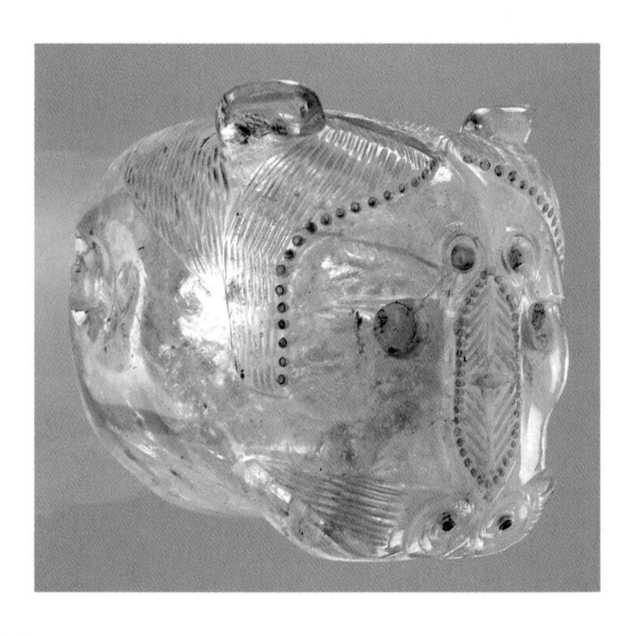

als Wasserspeier einer Brunnenanlage. Als Sammlungsstück der sachsen-lauenburgischen Kunstkammer gelangte er als Heiratsgut der Markgräfin Sibylla Augusta von Baden nach Rastatt, wurde dann dem Naturalienkabinett des dortigen Gymnasiums übergeben und gelangte erst zu Beginn des letzten Jahrhunderts in den Bestand der ›Türkenbeute‹. R.W.S.

Becher mit Planetenreliefs und Lucretia

Reliefs: süddeutsch, nach 1520
Buchsbaum, H. ca. 8 cm
Becher: süddeutsch, um 1650
Weichholz, geschwärzt, mit Papier beklebt, H. 31,2 cm
Inv. Nr. 97/417

Im 17. Jahrhundert wurden die zierlichen Reliefs mit Planetenbildern, die zugleich die Wochentage darstellen, auf einen gedrechselten Becher aufgebracht. Ursprünglich dienten sie – die nach einer Kupferstichserie von Hans Burgkmaier entstanden sind – wohl als Goldschmiedemodelle zur Herstellung von Sandgussformen. B.H.-S.

Turboschneckenpokal

Deutsch, 2. Hälfte 16. Jh.
Konchylie, Silber, vergoldet, Perlmutt, Rubine, Türkise, H. 22,5 cm
Inv. Nr. 95/913

Der in Formen der Frührenaissance gearbeitete schwere Silberfuß ist, wie auch der Nodus, mit gewölbten Perlmuttscheiben belegt. Ihr seidiger Schimmer setzt sich in der Turbo- oder Kreiselschnecke fort, die von einem feinen Muster aus Rubinen, Türkisen und Goldmalerei überzogen ist. Schönheit, Rarität und Kostbarkeit dieser fremden Materialien machten das Gefäß zu einem begehrten Kunstkammerstück. R.W.S.

Adam und Eva
Süddeutsch, 1601
Buchsbaumholz, Teilfassung (Augen), H. 30,2 cm
Inv. Nr. 95/869

Das Relief eines unbekannten Schnitzers orientiert sich an einem Meisterstich Albrecht Dürers von 1504. Deutliche Abweichungen zeigen sich z. B. in schlankeren und damit moderneren Proportionen der Körper und zeitgenössischeren Zügen der Porträts. Die Anlehnung an ein allgemein bewundertes Vorbild und dessen virtuose Abwandlung wurde bis in die Moderne als Ausdruck hoher Kunst verstanden. B.H.-S.

Prunkküriss Kaiser Matthias' (1612–19)
Französisch, um 1612
Eisen, teilvergoldet und bemalt, H. 148 cm
Inv. Nr. D 5

Als Spätwerk der Plattnerkunst und als einer der bedeutendsten Harnische vom Beginn des 17. Jahrhunderts sind Feldküriss, Helm, Sattel und Rossstirne durch einen reich ornamentierten Streifendekor in Rot und Gold auf malerische Wirkung angelegt. Der ursprünglich in sachsen-lauenburgischem Besitz verwahrte Küriss ist vermutlich als Geschenk des Kaisers an Herzog Julius Heinrich gelangt, den

Großvater der Markgräfin Sibylla Augusta von Baden. Ab 1740 ist er als Bestandteil der ›Türckischen Kammer‹ im Rastatter Schloss nachgewiesen. R.W.S.

burg tätig. Die dortigen Elfenbeinschnitzer und Goldschmiede haben das Motiv in zahlreichen Varianten im Verlauf des Jahrhunderts immer wieder aufgegriffen. B.H.-S.

Humpen mit Bacchanal
Elfenbein: Georg Petel (?), 1630–34
Fassung: Andreas I. Wickert
(Meister 1629, gest. 1661), Augsburg
Elfenbein, Silber vergoldet, H. 32,3 cm
Inv. Nr. 95/911

Peter Paul Rubens hat das Motiv des trunkenen Silens mehrfach plastisch gestaltet, und es war wohl sein Schüler, der Bildhauer Georg Petel, der diese Erfindung in ein Elfenbeinrelief umgesetzt hat. Petel war von 1625 bis zu seinem Tod 1634 in Augs-

Tischdenkmal ›Raub einer Sabinerin‹ mit vier gerahmten Elfenbeinreliefs
Süddeutsch, Mitte 17. Jh.; Sockel und Rahmen: Augsburg, um 1700
Elfenbein, Holz, Silberblech, Teilvergoldung, Halbedelsteine, Glas, Wachs, Messingblech, H. der Gruppe mit Sockel: 44,5 cm, H. der Rahmen: 26,5 cm bzw. 25 cm
Inv. Nr. 95/909, 95/846, 95/847, 95/917 a, b

Der Raub einer Sabinerin nach einer Marmorgruppe Giovanni da Bolognas (1583) wurde wohl um die Mitte des 17. Jahrhunderts geschnitzt, das Relief mit den vier nackten Frauen hat einen Stich Albrecht Dürers zum Vorbild, und die Drei Grazien gehen wohl auf ein Blatt aus dem Umkreis der Prager Manieristen zurück. Die prunkvolle Gruppe ist jedoch nur Teil eines größeren Geschenks der Markgräfin Sibylla Augusta von Baden-Baden an ihren Gemahl Ludwig Wilhelm (1655–1707) anlässlich eines Namenstages. Ursprünglich ergänzten noch eine Tischuhr und ein Humpen und zwei weitere Elfenbeinreliefs diese Gruppe. Die verschiedenen Einzelteile sind offenbar anlässlich der Schenkung mit einheitlich gestalteten Rahmen bzw. Sockel versehen worden. B.H.-S.

Deckelschale aus Achat mit Kameen und Granaten
Böhmisch (?), 2. Hälfte 17. Jh.
Achat, Silber, vergoldet, Email, Kameen, Granaten, Perlmut, H. 16,5 cm
Inv. Nr. 95/835

Kameen mit Szenen aus der Heraklessage, mit bukolischen Motiven, Brustbildern römischer Kaiser und antiker Philosophen sowie solcher vom sog. ›Kurtisanen-Typ‹ zieren den reich emaillierten und mit Granaten

bestückten Fuß- und Deckelrand des sandsteinfarbenen Gefäßes. Als authentischer Beleg antiker Geschichte und der eigenen humanistischen Bildung waren Kameen in großer Zahl gefragt und wurden vor allem in Italien hergestellt – häufig fanden sie für die Montage auf solchen Prunkgefäßen Verwendung. R.W.S.

Der Untergang Trojas
Ferdinand Neuberger (gest. nach 1679)
Ansbach (?), 2. Hälfte 17. Jh.
Polychromes Wachsrelief auf Glas in originalem, lederbezogenem Kasten, H. 25 cm, B. 33 cm
Inv. Nr. 95/849

Auf dem Rahmen des ursprünglich mit einem Deckel zu schließenden Kastens erzählen monochrome Reliefs die Vorgeschichte der Darstellung: Bei einem Göttermahl verkündet Jupiter, den Streit der Göttinnen Juno, Minerva und Venus, wer die Schönste sei, durch Paris entscheiden zu lassen. Das farbige Hauptbild zeigt die Folge seines Urteils: Troja steht in Flammen nach langem, erbittertem Kampf um die Zeustochter Helena, die Paris als Belohnung für seine Entscheidung von Venus als Gemahlin erhalten hatte, obwohl sie die Frau des Menelaos, des Königs von Sparta war. Das ›trojanisch Pferd‹, mit dem die Griechen sich listig Eingang verschafft hatten, steht auf dem Marktplatz. Einigen Trojanern gelingt es zu fliehen, unter ihnen Äneas, der Stammvater Roms, der seinen Vater Anchises aus der Stadt trägt und so Zeugnis ablegt für ein Handeln, das den Göttern wohlgefällig war. B.H.-S.

Tischaufsatz mit kämpfenden Steinböcken
Süddeutsch, 17. Jh.
Silber, Koralle, Achat, Perlmutt, Türkise, H. 17 cm
Inv. Nr. 95/830

Auf einem künstlichen Berg, gebildet aus Halbedelsteinen und von weißen Korallenzweigen überwuchert, befinden sich zwei kampflustige Geißböcke. Diese sind mit einem verborgenen Pendel verbunden, so dass sie nach einem Anstoß gegeneinander ›kämpfen‹. Die phantasievolle Verbindung von Ar-

tefakt und Naturalia, gesteigert noch durch ein spielerisches Moment, sind charakteristische Merkmale mancher Kuriosität einer Kunst- und Wunderkammer, die Verwunderung und kindliche Freude hervorriefen. R.W.S.

Radschlossbüchse mit Pistolenpaar
Johann Michael Maucher
Schwäbisch Gmünd, um 1670
Walnussholz, Elfenbein, Eisen,
L. 110 cm (Büchse), L. 56 cm (Pistolen)
Inv. Nr. G 303 (Büchse), G 643/644 (Pistolen)

Repräsentative und kostbare Feuer- und Blankwaffen waren unabdingbare Bestandteile einer jeden fürstlichen Waffenkammer. Von dem Gmünder »Bildhawer und Bixenshifter« Maucher haben sich diese besonders kunstvoll geschnitzten Exemplare erhalten. Es sind vor allem die als Relief oder nahezu vollplastisch gearbeiteten Elfenbeinschnitzereien auffallend, die u.a. auf Bildvorlagen von Jost Ammann zurückzuführen sind. Die Büchse zeigt neben gängigen Jagdszenen, Tierkämpfen und Masken ein großes David-Goliath-Relief und das fliehende Heer der Philister auf der Backenseite des Kolbens, während der hl. Eustachius, Schutzpatron der Jagd, die Kolbenlade ziert. Noch kleinteiligere Schnitzereien von wuchernder Fülle dekorieren das völlig kongruente Pistolenpaar. Als Hauptbilder sind hier einmal der Opfertod des Marcus Curtius und zum anderen der Zyklus der vier Weltenherrscher nach einer Stichfolge von Adriaen Collaert ins Bild gesetzt. Der Büchsenlauf (L. 82 cm, Kaliber 12 mm) stammt wohl von dem Memminger Markus Zilli, während die Pistolenläufe (38 cm, Kaliber 9 mm) mit dem Einhornstempel für Gmünd und den Initialen I.V.G. signiert sind. Die Stücke sind im Zuge der Säkularisation aus der fürstbischöflichen Waffensammlung zu Meersburg in den Besitz des badischen Fürstenhauses gelangt. R.W.S.

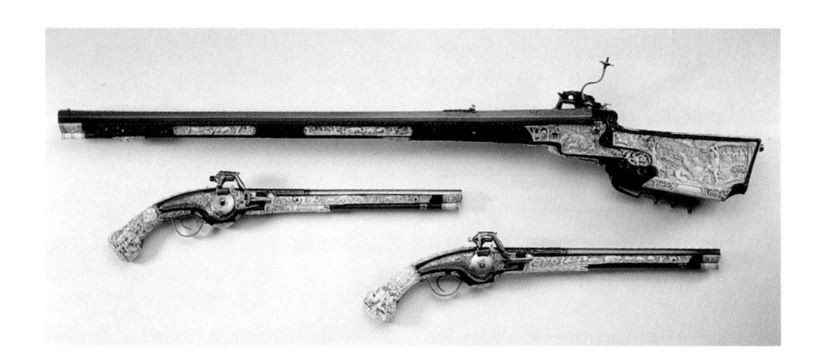

Ziehbrunnen
Süddeutsch (?), und China,
Yi-Hsing-Yao, K'Ang-Hsi (1662–1722), um 1700
Feinsteinzeug, Silberfiligran, H. 15 cm
Inv. Nr. 95/861

Eine Kuriosität ganz besonderer Art ist mit diesem ›funktionstüchtigen‹ Ziehbrunnen gegeben. Das filigrane Silbergespinst der Brunnenarchitektur, aus Sternblüten, Botehblättern und Tulpen gebildet, erinnert an orientalisches Formengut, das aber auch vor allem in Südosteuropa früh heimisch wurde. Eimerchen und Brunnenschale sind hingegen aus feinkörnigem chinesischen Steinzeug geformt, das in europäischen Porzellankabinetten als Rarität Eingang fand. Asien und Europa verschmolzen hier zu einem kostbaren Spielzeug fürstlicher Sammlungen. R.W.S.

Pulverflasche (?) aus einer Kokosnuss
18./19. Jh. (?)
Kokosnuss, geschliffen, poliert,
Elfenbein, Ebenholz, L. 12 cm
Inv. Nr. 95/828

Exotische Früchte wie die Kokosnuss waren im 16. und 17. Jahrhundert kostbar und begehrt und wurden häufig zu aufwendigen Trinkgefäßen verarbeitet. Die Nutzung scheint sich später erweitert zu haben, denn die zu einem Gesicht gestaltete Nuss könnte als Pulverflasche gedient haben. Eine aus Metall gearbeitete, röhrenförmige Schütte mit abschraubbarem Deckel befand sich wohl in der kreisförmigen Öffnung und wird von einem aus Elfenbein und Ebenholz gebildetem Augenpaar flankiert. R.W.S.

Marmorschränkchen
Karlsruhe (?), um 1770
Holz, Marmor, Messing, H. 87 cm,
B. 82 cm, T. 34 cm
(Leihgabe des Staatl. Museums für Naturkunde, Karlsruhe)

Das mit Marmor belegte Holzschränkchen birgt 12 Schubladen mit je 12 Fächern. In diesen sind rückseitig beschriftete Proben von Marmorvarietäten badischer Herkunft eingelegt. Der Schrank war im Schloss ausgestellt und diente wohl auch als »Musterkatolog« für heimische Handwerker und durchreisende Gäste. Verschiedene dieser Marmore wurden beim Schlossausbau verwendet. R.W.S.

Medaillon des Kaisers Commodus
Rom, 190
Bronze, Dm. 4,2 cm
Inv. Nr. 91/141

Es handelt sich um eine Gedenkprägung anlässlich der Erhebung der Geburtsstadt des Commodus (180–192), Lanuvium am Südhang der Albaner Berge, zur Kolonie, das heißt einer Stadt mit demselben Rechtssystem wie Rom. Die Inschrift »COL(onia) LAN(uviana) COM(modia) P(ontifex) M(aximus) TR(ibuni-

cia) P(otestate) XV IMP(erator) VIII CO(n) S(ule) VI P(ater) P(atriae)« nennt den juristisch korrekten neuen Namen der Stadt und datiert das weder literarisch noch epigraphisch überlieferte Ereignis durch die Aufzählung der Ämter des Kaisers in das Jahr 190. Dargestellt ist die bei einer Koloniegründung übliche Zeremonie: Der Gründer, in diesem Fall der Kaiser selbst, zog eine Ackerfurche mit einem Pflug, der mit einem weißen Stier und einer weißen Kuh bespannt war. Die Furche bezeichnete den Verlauf der späteren Stadtgrenze.

P.-H.M.

Aureus
Rom, 234
Gold, Dm. 1,9 cm
Ohne Inv. Nr. (Alter Bestand)

Eine der größten künstlerischen Leistungen der Römer waren ihre realistischen Porträts, auch in dem kleinen Format der Münzen. Nur mit Hilfe der Beschriftungen auf diesen Geprägen war es der Archäologie möglich, rundplastische Kaiserdarstellungen namentlich zu benennen. So gibt auch dieses Goldstück ein lebensnahes Bild des jungen Kaisers Severus Alexander wieder, der 222 mit 13 Jahren auf den Thron kam und 235 bei Mainz ermordet wurde. Er trägt den Lorbeerkranz als kaiserliche Insignie sowie den Panzer und den Kriegsmantel des Oberbefehlshabers. Die Inschrift nennt ihn Generalfeldmarschall und frommen Kaiser.

P.-H.M.

Unteritalischer Stater
Kroton, um 530 v. Chr.
Silber, Dm. 3 cm
Inv. Nr. 79/210

Kroton, um 720 v. Chr. in der Landschaft Bruttium gegründet, war zeitweise die mächtigste Griechenstadt Unteritaliens. Seine frühen archaischen Münzen zeigen einen Dreifuß von monumentaler Größe und Schlichtheit. Die Wahl dieses Münzbildes ist nicht ganz geklärt, wahrscheinlich ist es als Symbol des Apollon zu deuten, der wie in vielen griechischen Städten auch in Kroton verehrt wurde. Die Rückseite der Münze zeigt dieselbe Darstellung noch einmal vertieft. Diese Sonderform der Prägung kommt in der Antike nur in Unteritalien vor. Vielleicht geht sie auf den Philosophen Pythagoras zurück, der auch in Kroton lebte und ein auf Antithesen basierendes Weltbild konstruierte.

P.-H.M.

Tetradrachmon
Alexandria, um 310 v. Chr.
Silber, Dm. 2,8 cm
Inv. Nr. 79/367

Die unter dem ägyptischen Satrapen Ptolemaios I (323–305 v. Chr.) geprägte Münze zeigt den vergöttlichten Alexander den Großen mit einem Diadem als Abzeichen der Königswürde und einem Elefantenskalp, der ihn als Eroberer Indiens charakterisiert, außerdem ist er ein Symbol der Vergöttlichung und der Ewigkeit. Darunter ist das Widderhorn des Gottes Zeus Ammon zu erkennen, als dessen Sohn die Priester der Oase Siwa Alexander einst begrüßt hatten. Um seinen Hals ist die Aigis gelegt, eine magische Wunderwaffe des Zeus, die meist wie ein Ziegenfell dargestellt wird. Durch diese überhöhte Darstellung seines Vorgängers betont Ptolemaios seinen eigenen Anspruch auf den ersten Rang unter den Nachfolgern Alexanders des Großen.

P.-H.M.

Gulden Markgraf Ludwig Wilhelm von Baden-Baden
Würzburg, 1704
Silber, Dm. 3,6 cm
Inv. Nr. I.21.10

Von dem unter dem Namen ›Türkenlouis‹ bekannten Feldherren (1677–1707) gibt es zwar eine große Anzahl von Medaillen, die von privaten Verlegern herausgegeben wurden. Eine Münzprägung für sein armes Land, das zu seiner Zeit keine funktionierende Münzstätte besaß, konnte sich der Markgraf nur einmal leisten. Der vorliegende, nach Leipziger Münzfuß zu 60 Kreuzern ausgebrachte Gulden diente auch mehr dem Prestigebedürfnis eines souveränen Fürsten als dem Geldverkehr. Er ist von dem Würzburger Münzmeister Johann Peter Bischoff geprägt worden. Das gepanzerte und drapierte Brustbild des Markgrafen mit Allongeperücke ist umgeben von seinem stark abgekürzten Titel in lateinischer Sprache. Übersetzt: »Ludwig Wilhelm von Gottes Gnaden Markgraf von Baden und Hachberg, Landgraf von Sausenberg und der Ortenau, Graf von Sponheim und Eberstein, Herr in Rötteln, Badenweiler, Lahr, Mahlberg und Kehl«. Unter der Büste die Wertangabe 60 (Kreuzer). P.-H.M.

Medaille zu 24 Dukaten
Anton Schaeffer (1722–1799)
Mannheim, 1751
Gold, Dm. 5,2 cm
Inv. Nr. I.2.20.

Brustbild des jungen Markgrafen Karl Friedrich von Baden-Durlach (1738–1811) im Panzer nach rechts. Er trägt das Ordenskreuz vom Hausorden der Treue. Als Umschrift die stark abgekürzten Titel des Markgrafen in lateinischer Sprache. Übersetzt: »Carl Friedrich von Gottes Gnaden Markgraf von Baden und Hachberg, Landgraf von Sausenberg, Graf von Sponheim und Eberstein, Herr in Rötteln, Badenweiler, Lahr und Mahlberg«. Barocke Fürsten ließen gerne hochwertige Medaillen zur Selbstdarstellung – etwa als Ehrengeschenke – prägen. Diese Medaille nennt den Anlass ihrer Prägung nicht, doch ist aus dem Datum 1751 zu erschließen, dass sie anlässlich der Hochzeit mit der Hessen-Darmstädtischen Prinzessin Karoline Luise bei dem kurpfälzischen Medailleur Anton Schaeffer in Mannheim bestellt wurde. P.-H.M.

Medaille in antiker Art
Giovanni dal Cavino (1500–1570)
Padua, Mitte 16. Jh.
Bronze, Dm. 3,6 cm
Inv. Nr. 88/47

Giovanni dal Cavino war ein Meister in der Nachahmung römischer Bronzemünzen. Ob er seine Erzeugnisse in betrügerischer Absicht herstellte oder um die Lücken in den Kabinetten der zahlreichen Antikensammler der Zeit mit guten Kopien zu schließen, ist bis

heute umstritten. Sicher ist, dass seine Medaillen auch noch lange nach seinem Tode von Händlern als echte römische Münzen verkauft wurden, oft auch in billigen Nachgüssen. Nach dem Wohnort Cavinos spricht man noch heute von ›Paduanern‹. Die vorliegende Medaille ahmt geschickt einen Sesterzen des römischen Kaisers Caracalla (198–209) nach, atmet aber doch deutlich den Geist der Renaissance, so exakt Porträtbüste und Umschrift auch kopiert sind. P.-H.M.

Porträt-Medaille Albrecht Dürer
Hans Schwarz (um 1492–1532)
Entwurf: Nürnberg, 1520
Abguss: um 1620
Blei, Dm. 5,9 cm
Inv. Nr. L 88

Bärtiges Brustbild Dürers nach links mit Pelzschaube, das lange, gelockte Haar fällt auf die Schultern. Umschrift: »ALBERTVS. DVRERVS. NORICVS PIC(tor) O(ptimus oder omnium) M(aximus)« = Albrecht Dürer aus Nürnberg, der beste und größte Maler (oder: der größte aller Maler). Hans Schwarz, der als einer der Schöpfer der deutschen Medaillenkunst gilt, hat hier uneingeschränkt realistisch Aussehen und Persönlichkeit des größten deutschen Malers wiedergegeben. Dürer erwähnt 1520 in seinem Tagebuch, dass er Hans Schwarz 2 Goldgulden für das Modell zu dieser Medaille gezahlt habe. Es wird im Herzog-Anton Ulrich-Museum Braunschweig aufbewahrt. Der vorliegende Bleiabguss ist zur Zeit der ›Dürer-Renaissance‹ um 1620 entstanden. P.-H.M.

Intaglio,
Ganymed und der Adler
Hellenistisch, 1. Jh. v. Chr.
Granat in moderner Fassung,
H. 1,9 cm, B. 2,0 cm
Inv. Nr. 90/191

Der trojanische Prinz Ganymed sitzt mit einer Chlamys und einer phrygischen Mütze bekleidet nach rechts auf einem Felsen. Er reicht einem Adler einen Becher, der ihn erfasst, um daraus zu trinken. Die Szene wird von einem dem Oval des Steines angepassten Baum überschattet. Dargestellt ist der Augenblick vor der Entführung Ganymeds. Zeus hatte sich in den ›Schönsten der Sterblichen‹ verliebt und schickte seinen Adler aus, der den Jüngling in den Olymp tragen sollte, wo er dem Göttervater als Mundschenk und Geliebter diente. Der wohl von einem griechischen Gemmenschneider geschnittene Intaglio wendet sich an ein römisches Publikum, bei dem Szenen aus der mythischen trojanischen Vergangenheit des Volkes besonders beliebt waren.

P.-H.M.

Intaglio, römische Matrone
Römisch, 2. Hälfte 1. Jh. v. Chr.
Amethyst in modernem Goldring,
H. 1,8 cm, B. 1,4 cm
Inv. Nr. 90/147

Bildnis einer älteren Frau in Profilansicht nach links. Ein in Falten angeordneter Schleier bedeckt das Hinterhaupt und den Scheitel. Die Haare umrahmen in einer breiten Rolle die Stirn, die Iris der großen Augen ist angedeutet. Diese Darstellung einer römischen Matrone oder Vestalin ist nur schwer zu benennen. Es wurde vorgeschlagen, in ihr ein Bildnis der Julia, der Mutter Marc Antons, zu sehen. Dies würde die Verbindung realistischer römischer Porträtkunst mit der Perfektion der Steinschneidekunst am ptolemäischen Königshof von Alexandria erklären, wo Marc Anton die letzten Jahre seines Lebens verbrachte. P.-H.M.

Kameo,
Liselotte von der Pfalz
Frankreich, um 1700
Saphir, modern als Anhänger gefasst,
H. 3,1 cm, B. 2,3 cm
Inv. Nr. 90/286

Porträt einer vollschlanken Dame im Profil nach links. Das Inkarnat ist matt wiedergegeben, während Haar und Drapierung poliert sind. Es handelt sich um das Bildnis der Herzogin Elisabeth Charlotte von Orléans (1652–1722), der Schwägerin Ludwigs XIV. von Frankreich (1638–1715). In Deutschland ist die Tochter des Pfälzer Kurfürsten Karl Ludwig unter dem Namen Liselotte von der Pfalz bekannt und populär. Der Kameo aus Saphir stammt aus einer Familiengalerie. In der Eremitage in St. Petersburg haben sich Parallelstücke mit den Porträts Ludwigs XIV. und seines einzigen legitimen Sohnes Louis de France, ›le Grand Dauphin‹ (1661–1711), erhalten. Die Existenz weiterer Steine mit Porträts der Mitglieder der königlichen Familie ist zu vermuten. Die Kameen waren wohl einst in einem Collier gefasst. P.-H.M.

Die markgräflich-badische Gewehrkammer

Die markgräflich-badische Gewehrkammer beherbergt z.T. die ältesten Nachweise fürstlichen Sammelns in Baden. Schon die ›fürstliche Rüstkammer‹ Karls II. von Baden-Durlach wurde 1565 wegen ihrer herausragenden Waffen von Zeitgenossen gerühmt. Auch die Baden-Badener Linie verfügte über eine ›fürstliche Büchsen Kammer‹. Diese wurde jedoch im Zuge des spanischen Erbfolgekrieges 1689 vollständig zerstört und im 18. Jahrhundert in Rastatt wieder neu aufgebaut, während die Durlacher Waffen nach Basel in Sicherheit gebracht werden konnten. Bedeutende Erweiterung erfuhren diese bereits 1772 vereinigten Sammlungen durch die im Zuge der Säkularisation ab 1802 vereinnahmten Gewehrkammern der Fürstbischöfe von Konstanz aus Schloss Meersburg sowie derjenigen von Speyer aus Schloss Bruchsal. Den Schwerpunkt der ab 1806 Großherzoglichen Gewehrkammer bilden Hieb-, Stich- und vor allem Handfeuerwaffen vom 16.–19. Jahrhundert aller bedeutenden Provenienzen.
Als Bestandteil der repräsentativen Ausstattung von Hof und Herrscher diente der größte Teil der Waffen zur Jagd und sportlichen Betätigung. Schon seit dem 18. Jahrhundert werden die alten Waffen vermehrt als Erinnerungsstücke verstanden und zur Selbstdarstellung der badischen Dynastie genutzt; gleichfalls rücken die handwerkliche und künstlerische Qualität sowie die Seltenheit mancher Gegenstände in den Blickpunkt des Interesses. Viele von ihnen werden mit jagdlichen, kriegerischen oder sonstigen historischen Ereignissen in Zusammenhang gebracht. R.W.S.

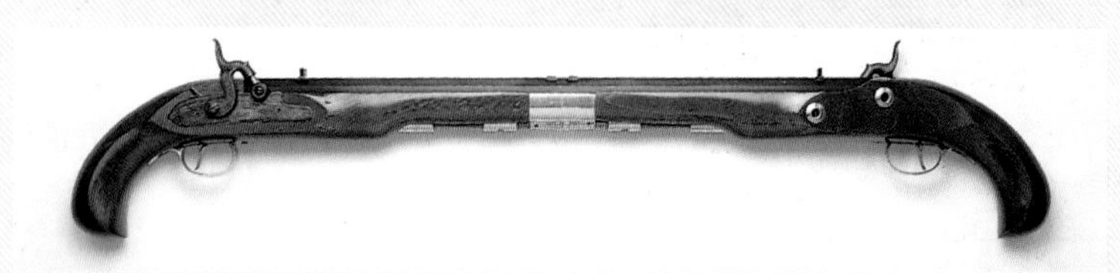

Konrad Balder Schäuffelen (geb. 1929)
Duellpistolen, 1982/88

Fast alles wie einst...

Die ›Goldene Sau von Kandern‹
Balthasar I. Lerff
Augsburg, um 1605
Silber, vergoldet, H. 26, 5 cm
Inv. Nr. L 5 (Dauerleihgabe des Staatlichen Forstamtes Kandern)

Die Tierplastik eines angriffslustigen Keilers wurde von Markgraf Georg Friedrich von Baden Durlach (1573–1638) 1605 anlässlich einer erfolgreich verlaufenen Jagd in das Forsthaus zu Kandern im Südschwarzwald gestiftet. Die 1,5 Liter fassende ›Sau‹ mit abnehmbarem Kopf diente als Trinkpokal; diesen ›Willkomm‹ leerten über die Jahrhunderte zahllose Jagdgenossen. In dem erhaltenen, von 1605 bis 1880 geführten ›Willkommbuch‹ (Generallandesarchiv Karlsruhe) haben sie sich in Versform verewigt. Der erste Eintrag stammt vom Stifter des Tierpokals. R.W.S.

Jagdarmbrust mit Winde
Deutsch, Mitte 16. Jh.
Holz, Elfenbein, Stahl, L. 61 cm (Armbrust)
Inv. Nr. G 274 (Armbrust), G 271 b (Winde)

Im Zuge der Verbreitung der Feuerwaffen wurden Armbrüste überwiegend zur lautlosen Jagd vor allem auf Vögel und Niederwild genutzt. Kriegstrophäen, Darstellungen von Isab und Pallas in Elfenbein sowie vergoldeter

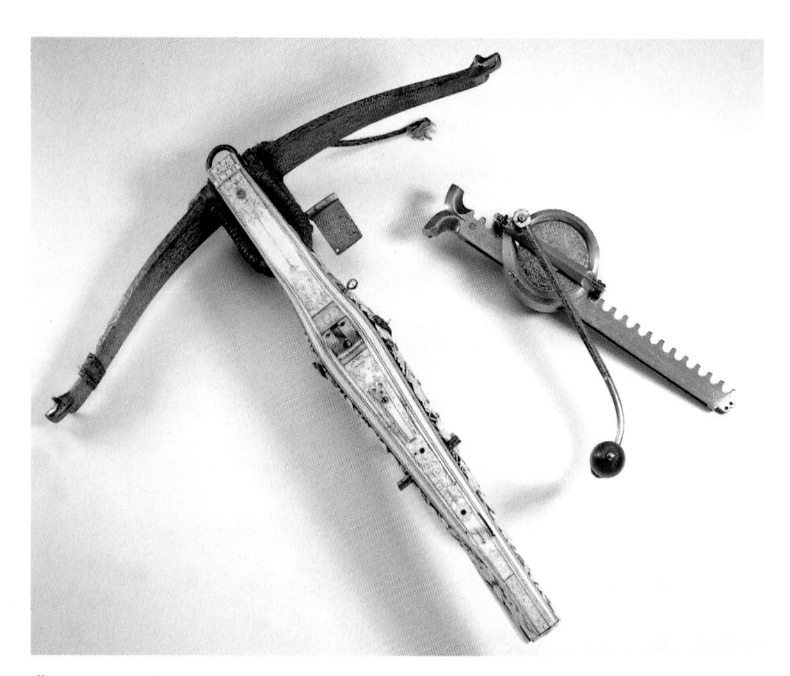

Ätzdekor auf Bogen und Winde, mit der man das (fehlende) Seil spannte, weisen auf einen fürstlichen Besitzer. In der Tat stammt das Jagdgerät aus der 1565 erstmals erwähnten ›fürstl. Rüstkamer‹ in der Karlsburg der Markgrafen von Baden-Durlach. R.W.S.

Steinschlossrevolverflinte
Georg Ernst Peter
(Meister 1700, gest. 1725)
Karlsbad (Böhmen), um 1720
Maserholz, Stahl, Messing,
teilvergoldet, L. 148,6 cm
Inv. Nr. G 589

Neben jagdlichen Gebrauchswaffen befanden sich in der ehemaligen markgräflichen Gewehrkammer auch ›Kunst-Gewehre‹, die durch kostbare Ausstattung (hier: Maserholz, gebläuter Stahl, reicher Dekor in Gold) und waffentechnische Besonderheiten auffallen. Der Standard des einschüssigen Vorderladers wurde hier durch das seltene und frühe Beispiel einer drehbaren Trommel zu vier Schuss für Papierpatronen optimiert. Der böhmische Büchsenmacher Peter war für seine technischen Spitzenleistungen berühmt und belieferte viele fürstliche Sammlungen. R.W.S.

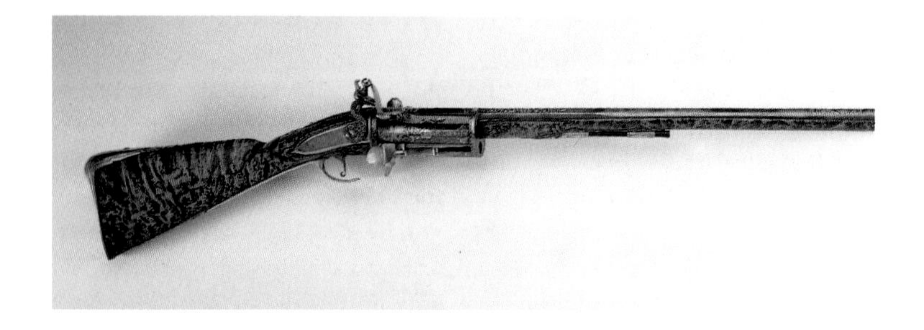

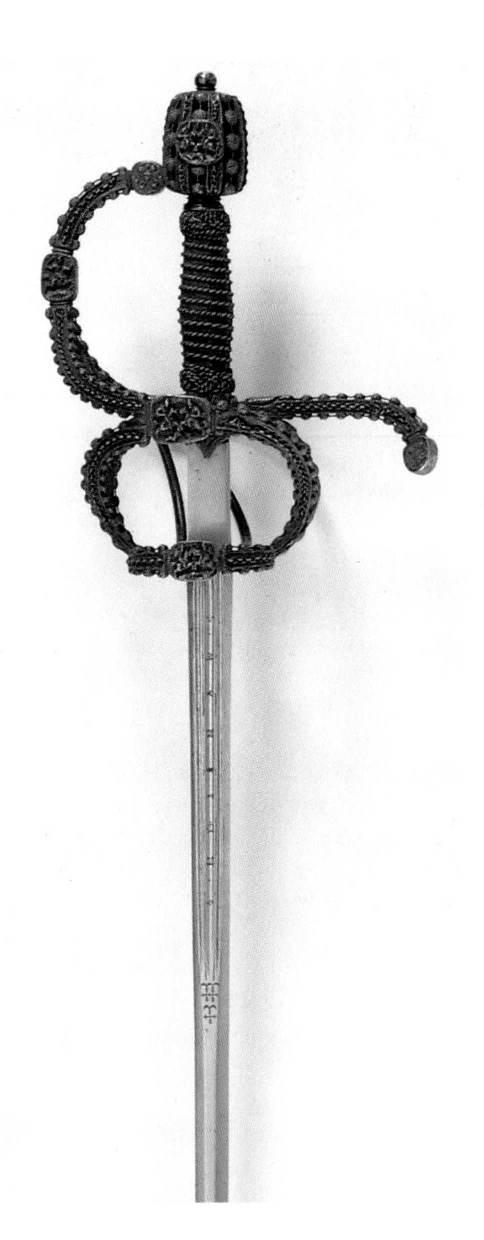

Rapier (Stoßdegen)
Klinge: Andreas Munsten
Toledo, um 1580
Stahl, signiert und punziert
Gefäß: Mailand (?), um 1580
Eisen, geschnitten, geschwärzt,
L. 122 cm (gesamt)
Inv. Nr. G 87

Reich geschnittene Eisengefäße mit Dekoren aus Kettengliedern, Rosetten und Medaillons, die kämpfende Reiter zeigen, waren besonders am Ausgang des 16. Jahrhunderts beliebt. Die kostbare Seitenwaffe ist mit einer signierten Klinge des aus Solingen stammenden Klingenschmiedes »androis monston« bestückt. R.W.S.

Trabantenkuse Kaiser Ferdinands II.
Deutsch, 1620
Eisen, geätzt, teilvergoldet, Holz, L. 70 cm (Klinge)
Inv. Nr. G 251

Die spätmittelalterliche ›couse‹, eine Stangenwaffe, wandelte sich im 16. Jahrhundert zu einer paradebetonten Trabanten- oder Wächterwaffe im Geleitschutz fürstlicher Personen. Initialen, Devise, Symbole und Zierrat sowie die Jahreszahl 1620 in reichem Ätzdekor auf der Klinge verweisen auf Kaiser Ferdinand II. (1578–1637). R.W.S.

Hirschkasten
Stutensee, um 1800
Tannen- und Eichenholz, Eisenbeschläge, H. 193 cm, L. 219 cm, B. 79,5–114 cm
Inv. Nr. G 6370

Nur sehr selten haben sich Transportkisten für Wild erhalten. Der trapezförmige Querschnitt gewährleistet die Unterbringung eines Hirschen mit seinem Geweih. Luken zum Belüften, Füttern und Ausmisten befinden sich in den Seitenwänden. Aufgemalt sind das badische Wappen mit Krone sowie die Aufschriften ›Paris‹ und ›1807‹. Wohl im Zusammenhang mit der bevorstehenden Hochzeit von Stéphanie de Beauharnais, einer Adoptivtochter Napoleons, mit dem Erbprinzen Karl von Baden schenkte der zukünftige Schwiegervater, Großherzog Karl Friedrich, einen Hirschen nach Frankreich. Napoleon soll ihn bei einer Jagd an der Muette bei Paris erlegt haben. R.W.S.

Prunkjagd
Süddeutsch, Mitte 18. Jh.
Öl auf Leinwand, H. 86,5 cm,
B. 104,5 cm
Inv. Nr. G 2010 (Leihgabe Staatl. Schlösser und Gärten Baden-Württembergs)

Zur barocken »Festinjagd« zählen auch makabre Veranstaltungen: In einer künstlich gestalteten Gartenanlage mit Springbrunnen und Scheinarchitektur werden z.T. berittene Wildschweine getrieben. Auf der Tribüne, dem Jagdschirm, stehen die Schützen; andere Teilnehmer amüsieren sich vor der Anlage. Am Abhang verweisen zwei große Inschriftenfelder auf das pfälzische Kurfürstenpaar Carl Theodor und Elisabeth Auguste, den Veranstaltern des wohl bei Schwetzingen stattgefundenen Jagdtheaters. R.W.S.

Die ›Türkenbeute‹

Historische Bedeutung, Umfang, Vielfalt und Seltenheit der ca. 400 Objekte der ›Karlsruher Türkenbeute‹ sichern ihr einen herausragenden Stellenwert unter vergleichbaren Museumsbeständen. Dieses »Heiligthum badischen Heldenruhmes« (1854) ist darüber hinaus als einzige Sammlung mit einer historisch bedeutsamen Persönlichkeit verknüpft: dem Markgrafen Ludwig Wilhelm von Baden-Baden (1655–1707), der als »Schild des Reiches« gefeiert und im Volksmund »Türkenlouis« genannt wurde. Als erfolgreicher Feldherr in den Türkenkriegen, zuletzt Generalleutnant der gesamten habsburgischen Armee, ist ihm zum großen Teil diese reiche Sammlung zu verdanken; sie ist jedoch durch seine Heirat mit der böhmischen Prinzessin Sibylla Augusta von Sachsen-Lauenburg und durch den Nachlass seines Onkels Herrmann, Präsident des österreichischen Hofkriegsrates, beträchtlich bereichert worden. Auf Markgraf Karl Gustav von Baden-Durlach, General-Feldzeugmeister der schwäbischen Reichsregimenter (1685–1688), gehen die ebenfalls bedeutenden »Türkischen Curiositaeten« zurück. Beide Sammlungen wurden 1877 im neuen ›Sammlungsgebäude‹ vereint, bevor sie 1920 ihren Platz im Badischen Landesmuseum fanden. R.W.S.

Daniel Wagenblast (geb. 1963)
Tuareg, 1998
Holz, bemalt, H. 100 cm
Leihgabe der Baden-Württembergischen Bank AG

Moderne Nomaden aus dem Orient, mit ihrem Statussymbol Auto unter dem Arm – sie begegnen den osmanischen Türken, die in der Geschichte jahrhundertelang als Eroberer und Abenteurer mit ihrem Besitz gegen das christliche Mitteleuropa zogen.

Markgraf Ludwig Wilhelm von Baden-Baden (1655–1707)
Unbekannter Maler, Ende 17. Jh.
Öl auf Leinwand, H. 160 cm,
B. 128 cm (mit Rahmen)
Privatbesitz

Das repräsentative Porträt zeigt den Markgrafen auf dem Höhepunkt seiner militärischen Laufbahn. 1683 bei der Entsatzschlacht von Wien beteiligt, wurde er 1691 als Generalleutnant Inhaber des höchsten militärischen Ranges, den das Haus Habsburg nur fünfmal verliehen hat. Der im Volksmund »Türkenlouis« Genannte wurde 1692 zur Verteidigung des Oberrheins gegen die Franzosen in seine Heimat beordert. Ab 1697 erbaute er in Rastatt ein neues Residenzschloss. R.W.S

Siegesmedaille
Philipp Heinrich Müller (1654–1719)
Augsburg, 1691
Silber, Dm. 4,9 cm
Inv. Nr. 60/43

Die zahlreichen Kriege, die Europa gegen Ende des 17. Jahrhunderts erschütterten, fanden unter anderem auch einen lebhaften Niederschlag in der geprägten Publizistik der Zeit. Große Prägeanstalten, vor allem in Augsburg und Nürnberg, hielten die politischen Ereignisse in Metall fest; diese Medaillen sind durchaus den preiswerteren Flugblättern vergleichbar. Diese Medaille ist dem militärisch wichtigen Sieg des Markgrafen Ludwig Wilhelm von Baden-Baden über das türkische Heer bei Salankamen 1691

gewidmet. In antiker Art errichtet die Siegesgöttin, von einem Putto assistiert, ein Siegesmal aus erbeuteten türkischen Waffen und Insignien, am Boden sitzt ein gefangener Türke, rechts erscheinen ein erbeutetes Kamel und ein Rind. Die Siegesgöttin schreibt in lateinischer Sprache auf einem Schild, dass 1691 die Hoffnung und die Kräfte des Feindes gebrochen worden seien. Die Umschrift verkündet den Tod von 25 000 Türken, die Plünderung der feindlichen Lager mit der Erbeutung von 158 Kriegsmaschinen. Im Abschnitt wird in einem gestelzten Wortspiel das genaue Datum der Schlacht am 19. August, der dem Kaiser zum Kaisermonat geworden sei, angegeben. P.-H.M.

Haube eines Janitscharen (Keçe)
Osmanisch, vor 1691
Filz, Wollflanell, Silber, vergoldet,
H. 24 cm, Überwurf: L. 74,5 cm
Inv. Nr. D 204

Die Karlsruher Keçe (= Filz) ist eine von insgesamt noch drei erhaltenen Kopfbedeckungen der im 14. Jahrhundert gegründeten infanteristischen Truppen, die dem Sultan direkt unterstanden. Der kostbare Stirnschmuck aus vergoldetem Silber, mit Granula-

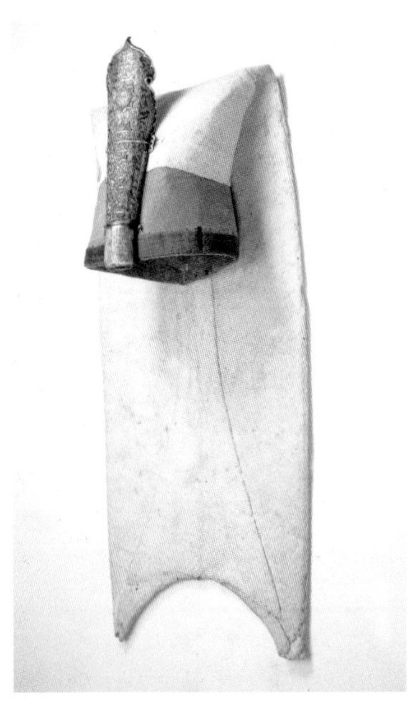

ten bedeckt und dem mühr-i Süleyman-Motiv (sog. Salomonssiegel) sowie der Evokation ›Allah‹ verziert, ist eine Federhülse; bei Paraden wurden sie mit üppigem Federschmuck oder Truppenzeichen besteckt. R.W.S.

Kettenhemd des Janitscharenağa Kara Mustafa Pascha aus Rodosto
Osmanisch, 1682
Eisen, teilvergoldetes Silber, Niello,
L. ca. 104 cm
Inv. Nr. D10

Das Panzerhemd mit halblangen Ärmeln verfügt über floral dekorierte Schnallen und Buckelbeschläge aus teilvergoldetem Silber mit feinstem Binnenmuster aus Niello sowie der Tuğhra Mehmeds IV. (1648–1687). Wie die Inschrift einer Bleiplombe zu erkennen gibt, war der Besitzer der Befehlshaber der Janitscharen im Belagerungsheer vor Wien im Jahre

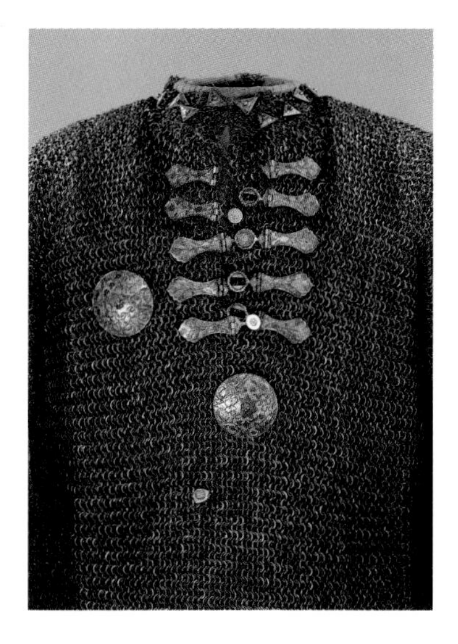

1683. Bei seiner Flucht soll es dem so genannten »Türkenlouis« in die Hände gefallen sein. R.W.S.

Mit vier Prunkschabracken und diversen Sätteln besitzt die Sammlung besondere Raritäten. Der Unterbau der jeweils zwei Flankendecken und einer Brustplatte besteht hier aus (ehemals) dunkelblauem Seidensamt, der vollständig und regelmäßig mit fünf unterschiedlichen Applikationen aus z. T. vergoldetem Silber bestückt ist. Auf manchem Beschlag findet sich die Tuğhra Mehmeds IV. Der hölzerne Unterbau des sog. orientalischen Bocksattels ist mit Leder und Seidensamt bezogen, auf den in feinster Gold- und Silberdrahtstickerei Bordüren und Eckmuster aufgebracht sind. Der Silberblechbelag der Sattelstege ist mit Blumenranken und großen Rosettenblüten mit kleinteiligem Niellodekor überzogen. R.W.S.

Prunkschabracke mit Sattel
Osmanisch, 2. Hälfte 17. Jh. (vor 1687)
Seidensamt, Leder, Drahtstickereien, Silber, teilvergoldet, L. 150 cm (Schabracke), L. 47 cm (Sattel)
Inv. Nr. D 117 (Schabracke), D 153 (Sattel)

Brustriemen mit Zierbehang
Osmanisch, 2. Hälfte 17. Jh. (vor 1691)
Leder, vergoldetes Silber, Smaragdimitat, Türkise, Seide, Eberzähne, Dm. 7 cm (Buckelscheibe)
Inv. Nr. D 131

Der Brustriemen mit Zierbehang ist Bestandteil eines aus Kopfgestell (ohne Gebiss) mit Zügel und Schweifriemen bestehendem, außergewöhnlichem Prunkreitzeug. Über der Gabelung des dreiteiligen Brustriemens befindet sich eine große Buckelscheibe, an der ein halbmondförmiger Zierbehang, gebildet aus zwei Eberzähnen in gemeinsamer, steinbesetzter Manschette, hängt. Ein reich durchbrochener palmettenförmiger Anhänger bildet den Abschluss. R.W.S.

Zierplatte
Osmanisch, 17. Jh. (vor 1691)
Agalmatolith, teilvergoldetes Silber, Rubine, Türkise, Bergkristall, Papier, Dm. 17 cm
Inv. Nr. D 240

Die ursprüngliche Funktion der achteckigen Platte aus Bildstein ist nach wie vor nicht eindeutig geklärt. Ihr reicher Schmuck ist auffallend: Auf einer mit nielliertem Rankenwerk verzierten Silberplatte sind Rubine und Türkise in Rosettenfassungen aufgebracht; die Mitte betont ein facettierter Bergkristall mit darunter liegendem Zettel und der Aufschrift »Herr und Besitzer Hasan Sohn des Hüseyin aus A...«. R.W.S.

Säbel mit Scheide
Osmanisch, 17. Jh.
Damaststahl, vergoldetes Silber, Elfenbein, Samt, Holz, L. 86 cm
Inv. Nr. D 33

Der Säbel gilt als Inbegriff der orientalischen Blankwaffe und wurde wegen seiner Vorzüge schon früh von den Europäern übernommen. Ver-

schiedene Typen lassen sich feststellen. Kostbar ist die Ausstattung: Die Griffschalen in Vogelkopfform sind aus gefärbtem Horn, Parierstange und Scheidenbeschläge aus vergoldetem Silber mit reichem Rosettendekor gearbeitet. R.W.S.

Prunkdolch mit Scheide (hançar)
Osmanisch, spätes 17. Jh.
Damaststahl, vergoldetes Silber, Nephrit, Rubine, Email, L. 27,1 cm
Inv. Nr. D 271

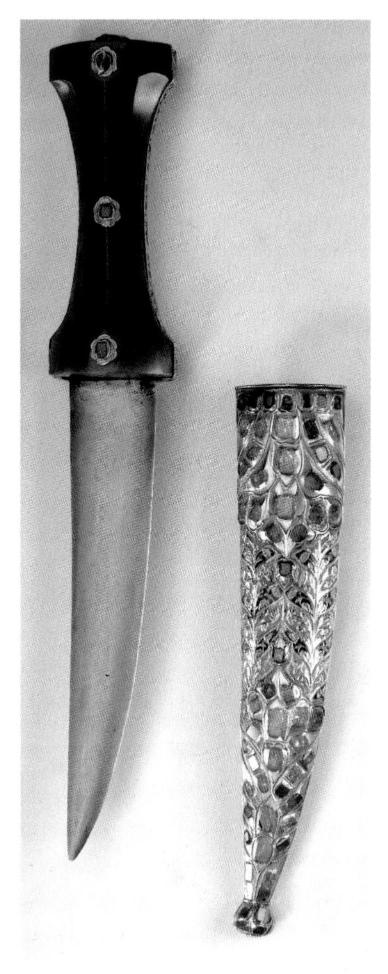

Die Dolche der Sammlung können als Meisterstücke osmanischer Gold- und Waffenschmiedkunst gelten. Ihr klarer Aufbau ist kennzeichnend für das 17. Jahrhundert: glatter, gemuldeter Griff aus kostbarem Halbedelstein oder Elfenbein, leicht gekrümmte Damastklinge. Der Rubinbesatz der Nieten setzt sich auf der vergoldeten Scheide auf Mundblech und Ortband fort, während auf der Mitte feine Nielloblüten wuchern. R.W.S.

Streitbeil
Osmanisch, 17. Jh. (vor 1691)
Damaststahl, Holz, Leder, Silber, teilvergoldet, L. 69 cm
Inv. Nr. D 56

Streitbeile und Streitkolben waren die Schlagwaffen der Reiterei. Kostbare Ausführungen scheinen jedoch nicht nur Waffe, sondern auch Rangabzeichen gewesen zu sein. Der lederbezo-

gene Schaft mit Silberumwicklung ist an beiden Enden mit Blumen verzierten und niellierten Silberkappen versehen. Die Beilklinge besteht aus Damaststahl. R.W.S.

ge und Rautenornamente erkennen; am äußeren Rand ist mehrfach »Allah« zu lesen. Der eiserne Mittelbuckel schützt den Ellenbogen des Trägers. R.W.S.

Schild (kalkan)
Osmanisch, 17. Jh.
Rotang-Palmruten, Lindenholz, Seide, Wolltuch, Silberdraht, Eisen, Dm. 59,5 cm
Inv. Nr. D 20

Leicht und effektiv waren diese Rundschilde, gebildet aus konzentrischen Spiralen aus ›Rattan‹, die mit feinen Seiden- und Silberfäden ornamental umwickelt wurden. Die stilisierten Muster lassen Zypressen, Blütenzwei-

Köcher für Bogen und Pfeile
Osmanisch, spätes 17. Jh.
Leder, Samt, Seide, vergoldetes Silber, Silberdrahtstickerei, H. 68 cm (Bogenköcher), H. 56 cm (Pfeilköcher)
Inv. Nr. D 93, D 97

Die kostbaren Bogen und Pfeile wurden in ebenso prachtvollen Köchern verwahrt. Der lederne Unterbau ist hier mit Seidensamt bezogen, auf der eine dichte Stickerei in vergoldetem Silberdraht in Anlegetechnik aufge-

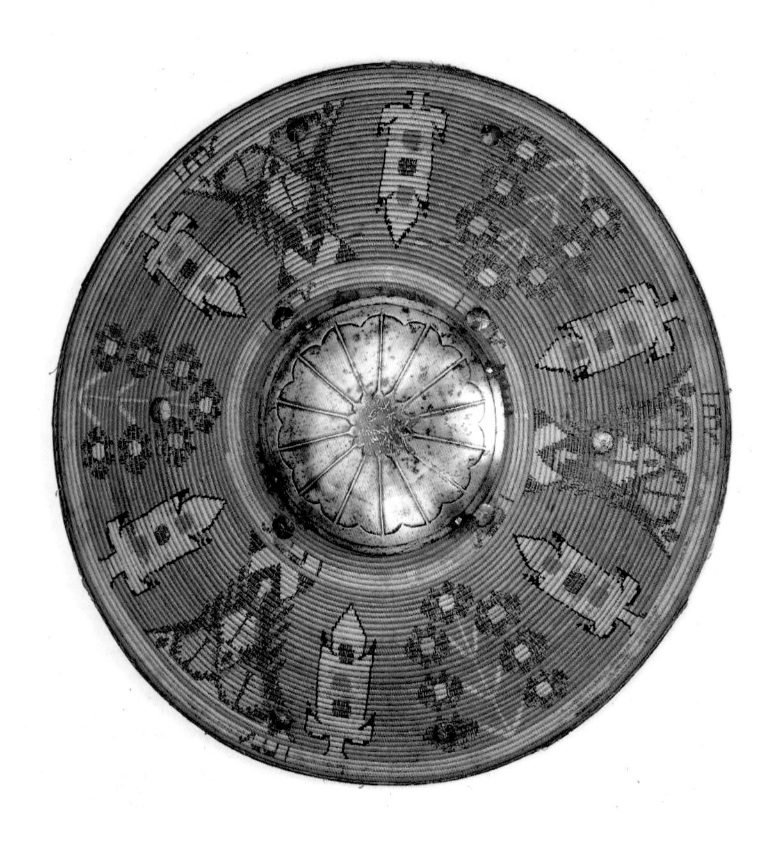

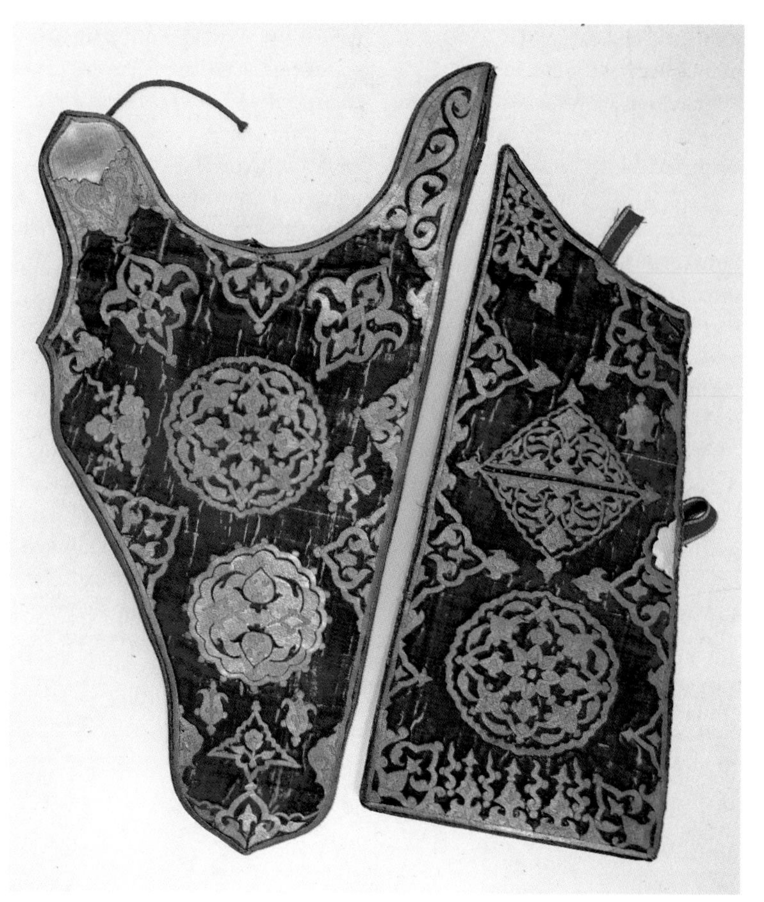

bracht wurde. Große Rosetten, Arabesken und stilisierte Tulpenfriese bilden den reichen Zierrat. Teilweise haben sich einfache Lederüberzüge als Wetterschutz erhalten. R.W.S.

Feldflasche (mathara)
Osmanisch, 2. Hälfte 17. Jh. (vor 1691)
Leder, Silber, Niello,
Silberdrahtstickerei, H. 26 cm
Inv. Nr. D 231

Als Behältnisse für Flüssigkeiten dienten getrocknete Kürbisse oder die Mathara, die aus Metall (Tombak) oder Leder gearbeitet wurde. Zwei zusammengenähte Lederhälften sind hier vollständig und dicht mit z. T. vergoldetem Silberdraht bestickt; der Farbwechsel und die Verlaufsrichtung der teilweise gezwirnten Fäden erzeugen ein äußerst lebhaftes Muster. R.W.S.

Samtbrokat mit figürlichem Muster (Detail)
Persisch, um 1610–40
Seidensamt (Samtbrokat),
Muster in mehrfarbigem Flor,
H. 142,5 cm, B. 117 cm
Inv. Nr. D 200

Nicht nur Armut und Alter des Derwisches wird hier einer reich geschmückten Jugend gegenübergestellt, sondern Geste und Bettelschale dürften auch auf ein Betteln um Liebe hindeuten und verweisen damit auf ein altes Thema persischer Dichtung: vom Liebenden und unerreichbar Geliebten. Das Zweifigurenmuster wird in waagerechter Reihe drei Mal wiederholt, in der nächsten Reihe jeweils in spiegelbildlicher Anordnung. R.W.S.

Gebetsteppich
Osmanisch, 17. Jh.
Wolltuch, Seide, L. 188 cm, B. 126 cm
Inv. Nr. D 192

Verschiedenfarbige Einzelteile aus aufgerautem (wohl englischem) Wolltuch sind mosaikartig zusammengesetzt und bilden eine lebhafte, breite Bordüre, die eine Doppelnische mit Ampel umrahmen. Die Stoßkanten werden

von gezwirnten Seidenschnüren abgedeckt. Diese Technik blumengeschmückter Teppiche aus Tuch werden als ›Kelevet‹ bezeichnet. R.W.S.

Das Buch Quintessenz der Historien

Istanbul oder Bagdad, zwischen 1595 und 1597

Ledereinband mit Goldprägung, gewachstes Papier, Gouache- und Goldmalerei, Tinten, H. 27,5 cm, B. 17,5 cm

Inv. Nr. Hs. Rastatt 201 (Badische Landesbibliothek Karlsruhe)

Die kostbare Handschrift enthält nach dem Preis Gottes, dem Lob des Propheten, Muhammad und Sultan Süleyman des Prächtigen die Berechnung der zwischen Adam und Muhammad liegenden Jahre, die Aufzählung der behandelten Dynastien, Zahl ihrer Mitglieder und Dauer ihrer Herrschaft. In 46 Porträtmedaillons werden die Sultane bis zum regierenden Mehmed III. (1595–1603) aufgeführt. Eine ganz außergewöhnliche Darstellung bildet den Abschluss des Bilderreigens: Sie zeigt offenbar einen der Kronprinzen bei der Jagd mit einem Habicht. R.W.S.

II. Die Sammlungen

Ur- und Frühgeschichte

Die ur- und frühgeschichtliche Sammlung zeigt Fundstücke aus dem Gebiet des ehemaligen Landes Baden. Da moderne Landesgrenzen alte Kulturgrenzen nur unzureichend wiedergeben, kann der repräsentierte Landstrich als die rechte Talseite des Oberrheingrabens zwischen Rheinebene nördlich von Basel und Nekkar mit Ausgreifen nach Osten bis zum Bodensee und nach Nordosten bis zum Main umschrieben werden. Innerhalb dieses Raumes wird die frühe Kulturgeschichte des Landes anhand ausgewählter Fundstücke vom Neandertaler bis zu den frühen Germanen dargestellt. Erst in den letzten Jahrhunderten eines viele Jahrtausende umfassenden Zeitraumes treten mit den Kelten, Germanen und Römern aus antiken Schriftquellen namentlich bekannte Völker auf. Zuvor sind für uns Stämme, Völker und handelnde Personen namenlos. Ihr Denken und Handeln findet sich nur in der archäologischen Hinterlassenschaft wieder, die Aufschluss über die kulturelle Entwicklung in einem bestimmten geografischen Raum gewährt. K.E.

Raffael Rheinsberg (geb. 1943)
Felder, 1993
4 Teile einer dreißigteiligen Installation von Karlsruher Fundorten

Mit der Methode des Fundsammlers und Ausgräbers betreibt Rheinsberg ›Archäologie der Jetztzeit‹.

Kleiner Faustkeil
Bruchsal, Altsteinzeitlich,
ca. 80 000–50 000 v. Chr.
Feuerstein, L. 7,5 cm
Inv. Nr. Bru 97/1

Das älteste im Museum gezeigte, aus Südwestdeutschland stammende Werkzeug gehört trotz seines hohen Alters in der Entwicklungsreihe der altsteinzeitlichen Feuersteingeräte einem sehr fortgeschrittenen Stadium an. Der mit dem Frühmenschen (homo erectus) verbundene ›klassische‹ Faustkeil ist um Jahrhunderttausende älter. Der Faustkeil gilt als Gerät, das ohne Schaft oder Stiel in der Faust gehalten und benutzt wurde. Ob dies mit dem kleinen Faustkeil sinnvoll möglich ist, bleibt offen. Er gehört in einen kulturellen Zusammenhang, den man nach der französischen Fundstelle ›Le Micoque‹ als Micoquien bezeichnet. Träger des Micoquien ist der Neandertaler (homo neanderthalensis). Entgegen seiner grobschlächtigen Darstellung sprechen seine Werkzeuge für manuelle Geschicklichkeit. K.E.

Gravierung
Engen-Bittelbrunn ›Petersfels‹,
Altsteinzeitlich, 12 000 v. Chr.
Rengeweih, L. 31 cm
Inv. Nr. Sn 32/235

Die Gravierung gehört zu den kostbaren Erzeugnissen altsteinzeitlicher Kunst. Sie belegt als Objekt der Kleinkunst die scharfe Beobachtung und naturalistische Wiedergabe von Tieren. Ihr Fleisch diente dem Menschen

zur Nahrung; Knochen und Geweih als Rohstoff für zahlreiche Gerätformen und die Felle zur Kleidung. Die Fundstelle, eine kleine natürliche Höhle und ihr Vorplatz, der Petersfels bei Bittelbrunn, barg noch kleine plastische, stark stilisierte Frauenfigürchen aus Gagat, einer Kohleart. Die Objekte gehören in einen kulturellen Zusammenhang, den man nach der französischen Fundstelle ›La Madeleine‹ als Magdalénien bezeichnet. K.E.

Mikrolithen
Bollschweil, Mittelsteinzeitlich,
9000–5000 v. Chr.
Feuerstein, L. 1,1–2,4 cm
(Leihgabe des Landesdenkmalamtes Baden-Württemberg)

Mit der Erwärmung nach der letzten Kaltphase der Eiszeit wandelten sich die natürlichen Lebensräume. Die Wiederbewaldung und die mit ihr verbundene Fauna verlangten andere Jagd- und Sammelweisen. Bei der Jagd auf Rothirsch, Reh und Wildschwein wurden sehr spezialisierte Feuersteingeräte benutzt. Typisch sind kleine Klingenabschnitte in geometrischen Formen wie Dreiecken oder Trapezen. Diese sogenannten Mikrolithen bildeten Einsätze in Jagdwaffen wie Pfeilen oder Harpunen. K.E.

Verzierte Gefäße
Schwetzingen, Jungsteinzeit,
um 5000 v. Chr.
Ton, H. 10,1 cm und 8,8 cm
(Leihgabe des Landesdenkmalamtes Baden-Württemberg)

Von Westungarn bis Ostfrankreich breitete sich in Mitteleuropa eine frühe bäuerliche Kultur aus, die wegen ihrer charakteristischen Gefäßverzierung als bandkeramische Kultur bezeichnet wird. Diese sicherte sich ihre Ernährung nicht mehr

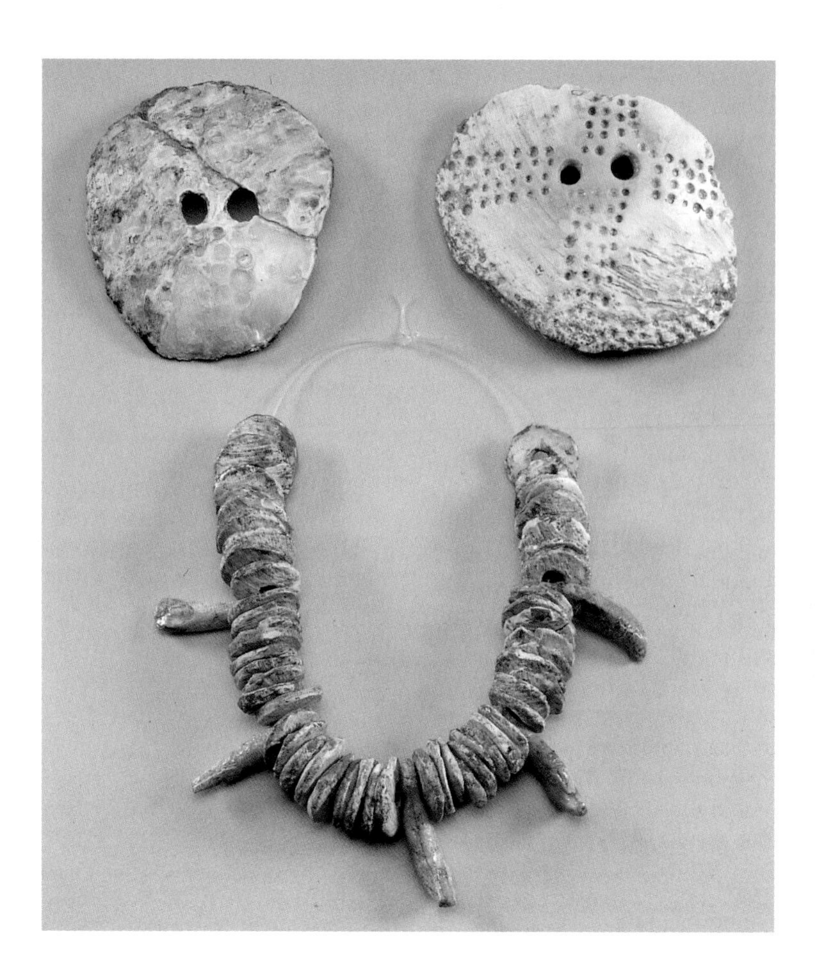

durch zufälligen Jagd- und Sammelerfolg, sondern durch die Haltung von Haustieren und den Anbau von Kulturpflanzen. Die Neuerungen kamen auf zwei Wegen vom Vorderen Orient nach Mitteleuropa, einmal über den Balkan und das Donautal und zum Zweiten entlang der Mittelmeerküsten und das Rhonetal aufwärts. Den ersten Weg sieht man in der bandkeramischen Kultur verwirklicht, die außer durch die verzierten Tongefäße durch die hoch entwickelte Holzbauweise ihrer Großhäuser auffällt. Die beiden Tongefäße entstammen einem der noch wenig entdeckten Friedhöfe. K.E.

Muschelschmuck
Tauberbischofsheim-Impfingen,
Jungsteinzeit, 3. Jt. v. Chr.
Muschelschalen, Tierzähne, Dm. der großen Scheiben 5,9 cm und 6,1 cm
Inv. Nr. 88/12

Zu den in Süddeutschland eher seltenen Grabbeigaben der so genannten schnurkeramischen Kultur zählt Schmuck aus Muscheln und Tierzähnen. Die größeren runden Scheiben mit jeweils zwei Durchbohrungen werden als Muschelbroschen bezeichnet. Man vermutet, dass sie neben der Schmuckfunktion paarweise die Kleidung aus Woll- oder Leinenstoff zusammenhielten. Kleine Muschelscheiben und Tierzähne können aufgefädelt als Kette getragen worden sein, aber auch als Kleiderbesatz gedient haben. K.E.

Beilklinge
Karlsruhe-Knielingen, frühe Bronzezeit, um 2000 v. Chr.
Kupfer, L. 10,6 cm
Inv. Nr. C 10 298

Beilklingen mit Randleisten belegen den technischen Fortschritt, der sich mit der Kenntnis von Metallen verbindet. Die Vorteile liegen in der beliebigen Wiederverwendbarkeit des Rohstoffs beim Gießen misslungener oder beim Gebrauch zerbrochener Stücke und in den größeren Gestaltungsmöglichkeiten gegenüber steinernen Formen. So erlaubten die nur in Metall herstellbaren Randleisten eine verbesserte Befestigung am Holzstiel. Die Beilklinge bildete zusammen mit zwei weiteren und einem Barren einen kleinen Hort oder Schatz. K.E.

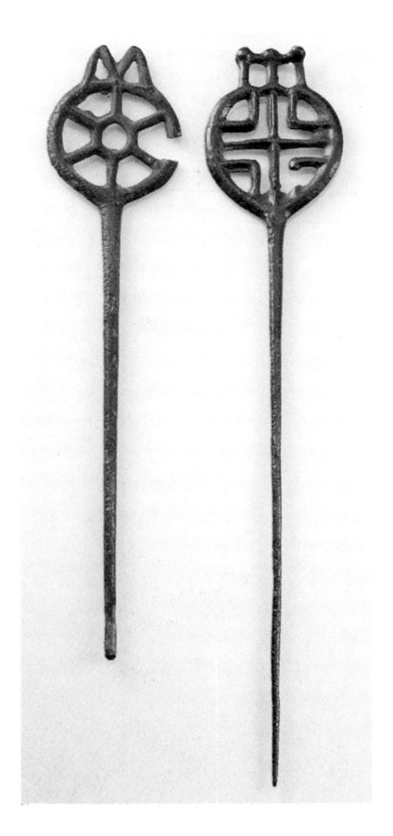

Radnadeln
Stettfeld u. Rheinsheim, mittlere Bronzezeit, Mitte 2. Jt. v. Chr.
Bronze, L. 18,9 cm und 23,5 cm
Inv. Nr. C 3766, C 11 325

Nadeln dienten zum Zusammenhalten oder Verschließen der Kleidung. Eine am Oberteil befestigte und um die Spitze gewickelte Schnur mag die Nadel am Herausgleiten aus dem Stoff gehindert haben. Der in Radform gestaltete Nadelkopf wurde in alter Zeit mit der Sonnenscheibe gleichgesetzt. Dabei existierten zwei Vorstellungen, einmal von der Sonne, die selbst wie ein Rad über das Himmelsgewölbe rollt, und zum Zweiten von der Scheibe, die auf einem von Tieren gezogenen Wagen gefahren wird. K.E.

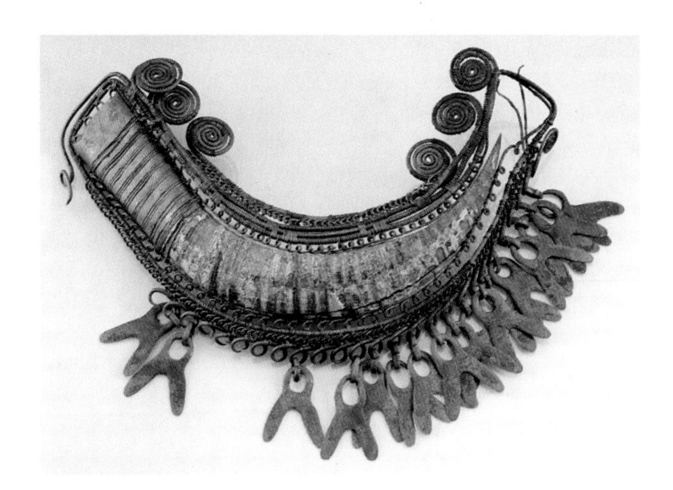

Eberhauer
Karlsruhe-Neureut,
Urnenfelderzeit, um 1100 v. Chr.
Tierzahn u. Bronze, L. (des Zahnes) 20 cm
Inv. Nr. 99/240

Der aufwendig in Bronzeblech und -drähte gefasste Eberhauer stellt eine beeindruckende Jagdtrophäe dar. Das Tragen von Zähnen wilder Tiere sollte Unheil abwenden helfen und gleichzeitig die Kraft des Tieres verleihen. Offenbar handelt es sich um eine Opfergabe an eine Gottheit. Solche Opfergaben bestehen häufig aus besonders anspruchsvollen Stücken, wie sie etwa als Grabbeigabe nicht vorkommen. In Mittelfrankreich begegnen einfacher gefasste Eberhauer in Gräbern von Frauen. Nach ihrer Lage im Grab zu schließen, wurden sie am Leibgürtel hängend getragen. K.E.

Kettengehänge
Karlsruhe-Neureut,
Urnenfelderzeit, um 1100 v. Chr.
Bronze, Einzelteile gegossen, mit Blechösen verbunden, L. (der großen Anhänger) 9,1 cm und 9,8 cm
Inv. Nr. 99/241

Das bei Kiesbaggerarbeiten in einem verlandeten Rheinarm entdeckte Gehänge fällt gegenüber den wenigen Vergleichsstücken durch Zierlichkeit und vor allem durch seine annähernde Vollständigkeit auf. Nur zwei der ursprünglich 114 Ringchen scheinen zu fehlen. Wie andere wurde das Gehänge als Opfergabe an einem heiligen Ort niedergelegt. In kultischen Zusammenhang weisen auch die Anhänger, die stilisierte Menschengestalten evtl. als Götter wiedergeben. K.E.

Kegelhalsgefäß

Salem, Hallstattzeit, 7. Jh. v. Chr.
Ton mit Bemalung, H. 32 cm
Inv. Nr. C 7282

Zu Beginn der Hallstattzeit kommt in Südwestdeutschland eine bunte Tonware in Gebrauch. Geometrische Ornamente aus Riefen, Rillen und glatten Zonen bilden den Rahmen für rote, schwarze und weiße Einfärbung. Die in die Gefäßwand eingeschnittenen Dreiecke und Vierecke und die eingetieften Kreisaugen waren mit weißen Einlagen ausgefüllt. Die Keramiken dienten repräsentativen Zwecken und als Grabbeigaben. Das größte Gefäß barg als Urne die Reste der verbrannten Leiche, die übrigen Gefäße enthielten Getränke und Speisen für das Jenseits. K.E.

Armring

Söllingen, Hallstattzeit, 6. Jh. v. Chr.
Goldblech, Dm. 7,5 cm
Inv. Nr. C 3808

In Südwestdeutschland erscheint Goldschmuck als Grabbeigabe in größerem Umfang erst in der späten Hallstattzeit. Der Armreif stammt aus einem aus Kies und Sand aufgeschütteten Grabhügel von beachtlichen

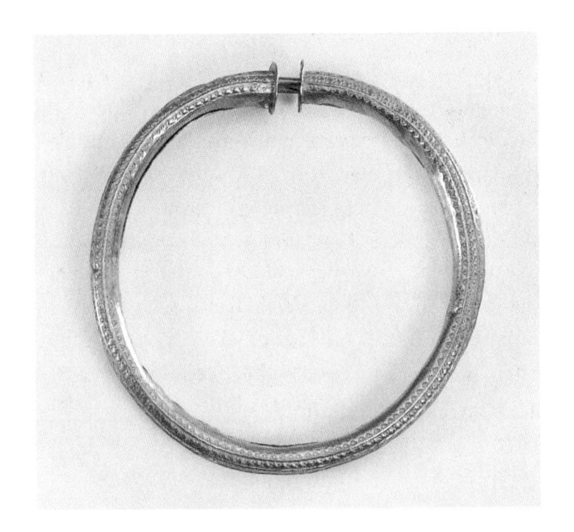

Ausmaßen (1,7 m Höhe und 37 m Durchmesser). Der Mangel weiterer herausragender Beigaben schließt wohl aus, dass es sich hier um die Grablege eines Häuptlings oder Fürsten handelt. Ähnliche Goldringe sind aus Gräbern bei Schlatt im Breisgau und im Kanton Freiburg (Schweiz) bekannt. K.E.

Maskenfibel
Oberwittighausen, Latènezeit,
5. Jh. v. Chr.
Bronze, L. 3,2 cm
Inv. Nr. C 11078 b

Keltisches Kunstschaffen zeigt sich häufig in sehr kleinen Gegenständen des täglichen Gebrauchs. Die Darstellung beschränkt sich meist auf Köpfe oder Gesichter, wobei die Bedeutung des Abgebildeten uns fremd bleibt. Die fratzen- oder maskenartigen Gesichter vereinen Tierisches und Menschliches. Offenbar galt den Kelten der Kopf als Sitz der Lebenskraft; und es herrschte eine einheitliche Sicht der Lebewesen bei der Wiedergabe von Mensch und Tier. Die keltische Kunst entstand aus Anregungen des Mittelmeerraumes und des Vorderen Orients, die auf in Mitteleuropa Einheimisches trafen und den unverwechselbar keltischen Kunststil entstehen ließen. K.E.

Kopf einer Götterfigur
Heidelberg, Latènezeit,
5. Jh. v. Chr.
Buntsandstein, H. 30 cm
Inv. Nr. C 6828

Auffällig an dem Kopffragment sind die haubenartige Blattkrone, die runden Glotzaugen und die kräftig ausgebildete Nase, weniger stark treten das Blattornament auf der Stirn und das Zirkelschlagornament auf der Kopfrückseite hervor. Mit dieser Aufzählung sind typische Züge keltischer Kunst benannt. Das Heidelberger Fragment entspricht weitgehend dem Kopf einer jüngst bei Glauberg (Hessen) am Rand eines Grabhügels gefundenen, mit Ausnahme der Füße vollständig erhaltenen vollplastischen Steinfigur. Es handelt sich bei dem Neufund um einen Krieger in leichter Überlebensgröße, versehen mit Panzer, Schild und Schwert sowie mit Arm- und Halsschmuck. K.E.

Helm
Mannheim, Latènezeit,
Mitte 1. Jh. v. Chr.
Bronze, H. 15 cm
Inv. Nr. C 6292

Der Helm, ein Kiesgrubenfund, ist in einem Stück gearbeitet. Der gedrehte Randwulst wurde gegossen und die glatte Kalotte herausgetrieben. Der Helmschild war als Nackenschutz nach hinten gerichtet. Die Löcher an der Seite dienten zur Befestigung von Wangenklappen oder eines Sturmriemens. Mit seiner Datierung in die Mitte des 1. vorchristlichen Jahrhunderts gehört der Helm in einen geschichtli-

chen Zeitraum, in dem mit der Eroberung Galliens durch Julius Caesar die Grenzen des römischen Reiches bis zum Rhein vorverlegt wurden. K.E.

Gürtelschnalle
Diersheim, germanisch, 1. Jh. n. Chr.
Bronze, L. 12, 4 cm
Inv. Nr. C 11467b

Als im letzten vorchristlichen Jahrhundert germanische Völker keltische Stämme über den Rhein nach Süden und Westen abdrängten, sah sich Rom zum Eingreifen gezwungen. Im ›Gallischen Krieg‹ (58–51 v. Chr.) gelang es Caesar, ganz Gallien – das heutige Frankreich – zu unterwerfen und den Rhein zur Grenze zwischen Germanen und Römern zu machen. In der Folge wurden zum Grenzschutz Germanen auf der linken Rheinseite wie auch vor der Grenze rechts des Flusses angesiedelt. Die Gruppe im Vorfeld des römischen Straßburg kennt man nur aus archäologischen Funden. Die Gürtelschnalle ist eine germanische Arbeit und stammt aus dem Herkunftsgebiet der Gruppe an der Elbe. K.E.

Antike I

Kykladen, Alter Orient, Ägypten und Griechenland

Die griechische Klassik bleibt auch unter dem Gesichtspunkt eigengesetzlicher kultureller Vielfalt ein Höhepunkt der Menschheitsgeschichte. In sie mündeten großartige Entwicklungen früherer, seit etwa 3000 v. Chr. blühender Hochkulturen des Vorderen Orients und Ägyptens ein. Die Kraft der griechischen Kultur zeigt sich darin, dass sie seit dem 5. Jahrhundert v. Chr. das Kulturgefälle im Verhältnis zum Orient und zu Ägypten umkehrte. Sie schuf Ideale in der Welt der Gedanken und der Schönheit, die durch Alexander den Großen bis zum Indus und Araxes und durch die Römer im übrigen Mittelmeerraum, im ganzen Abendland und schließlich in dessen Kolonialreichen weltweit Verbreitung fanden. Die Ausstellung zeigt die verschiedenen Aspekte dieser Kulturen: die Schönheit abstrahierender Formen bei den Kykladenidolen, figurenreiche altorientalische Bronze- und Elfenbeinarbeiten, das Leben am Nil, wie es die alten Ägypter für die Denkmäler ihrer Grabkulte dargestellt haben, Motive aus Heiligtümern, von Mythen, Göttern, Sport- und Theaterfesten als selbstbewusste künstlerische Zeugnisse der griechischen Hochkultur. M.M.

Pablo Picasso (1881–1973)
Bacchanal mit schwarzem Stier, 1963
Wandteppich, ausgeführt in Aubusson nach einem Linolschnitt von 1959

Picasso interpretiert die Antike als Welt der Mythen, der Satyrn, Faune, der vitalen Lebensfreude in bukolischer und bacchanalischer Ursprünglichkeit.

Zwei Kegelhalsgefäße
Kykladisch, um 3000–2400 v. Chr.
Das größere angeblich von der
Insel Herakleia (bei Naxos)
Marmor H. 31,5 cm und 17,8 cm
Inv. Nr. 63/103, 63/49

Mit Schnurösen zum Aufhängen. Im unteren Teil sehr starkwandig und mit massivem Fuß gearbeitet. Die beiden Gefäße sind eine typische Form der ältesten Stufe des Frühkykladischen. Sie geht auf Vorbilder aus Ton zurück. Die wegen ihres Gewichtes (das größere wiegt 13 kg) praktisch kaum benutzbaren Ausführungen in Marmor waren wohl für den Grabkult bestimmt. E.R./M.M.

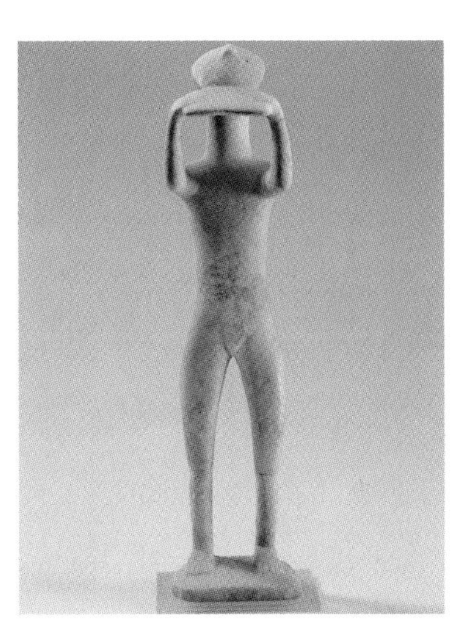

Hirtenflöten-Spieler
Kykladisch, 2800–2400 v. Chr.
Marmor, H. 36 cm
Inv. Nr. 64/100

Die meisten Kykladenidole sind in idealer, handlungsloser Ruhe, entspannt und mit ausgestreckten Füßen dargestellt. Ausnahmen sind die seltenen Darstellungen von Musikanten. Das Motiv des Flötenspielers erforderte eine Standplatte, wie sie an Kykladenidolen nur selten vorkommt.

E.R./M.M.

Schale mit Spiraldekor
Kykladisch, um 2700–2400 v. Chr.,
Fund angeblich von der Insel Naxos
Chloritschiefer, H. 17,5 cm
Inv. Nr. 75/11

An der unverzierten Seite verläuft ein niedriger Rand. Die Verwendung solcher Schalen, von denen etwa 200 aus Ton und nur drei aus Stein bekannt sind, ist unklar. Da sie für einen praktischen Gebrauch kaum geeignet erscheinen, wurde eine kultische Bestimmung vermutet, worauf auch Farbreste in einem Exemplar deuten könnten. Bei anderen Beispielen ist das Spiralmuster mit der Darstellung eines Schiffs oder des weiblichen Geschlechts verbunden. E.R./M.M.

Grabfundgruppe: Harfenspieler und Schalen
2700–2400 v. Chr., Fund von Santorin (Thera)
Marmor, H. (des größeren Harfenspielers) 16,5 cm
Inv. Nr. B 364, B 363, B 365–367

Die Gruppe ist seit 1840 bekannt, wurde 1853 für Karlsruhe erworben und gehört daher zu den ersten Funden der bronzezeitlichen Kykladenkunst, deren Kenntnis Reisende und Sammler aus dem gerade erst befreiten Griechenland vermittelten. Die Figuren entsprachen jedoch nicht dem klassizistischen Kunstideal der Zeit und wurden daher lange gering geachtet. Erst die Kulturhistoriker und moderne Künstler haben die ästhetische Qualität dieser Statuetten schätzen gelehrt. Für ihre Deutung, die Frage, ob sie menschlich oder göttlich sind, fehlen sichere Anhaltspunkte. E.R./M.M.

Großes weibliches Idol
Kykladisch, um 2700–2400 v. Chr., Fund wohl von Amorgos
Marmor, H. 88,8 cm
Inv. Nr. 75/49

Das Idol ist von stattlicher und seltener Größe, es wird nur von wenigen, bis etwa 1,50 m großen übertroffen. Verwitterungsspuren zeigen, dass Augen und andere Details aufgemalt waren. Die Form mit den verschränkten Armen, den leicht gebeugten Beinen und den wie im Liegen gestreckten Füßen ist ›kanonisch‹. Der weibliche Charakter ist bei einigen Exemplaren durch den gewölbten Leib einer Schwangeren oder durch Schwangerschaftsfalten hervorgehoben. Die meisten solcher Figuren stammen aus Gräbern, nur wenige sind bisher in Siedlungen gefunden. Auch bei ihnen ist die Frage, ob es sich um menschliche oder höhere Wesen handelt, nicht sicher entschieden. E.R./M.M.

Siegel (Abrollung)
Altbabylonisch, um 1800–1600 v. Chr.
Schwarzer Basalt, H. 3,1 cm
Inv. Nr. 73/111

Rollsiegel gibt es seit dem Ende des 4. Jt. v. Chr. Ihre Funktion ist den heutigen Siegeln ähnlich: Man benutzte sie, um Eigentum zu sichern, indem man z.B. auf den Verschluss eines Gefäßes einen Tonklumpen drückte, den man anschließend siegelte. Zudem war ihre Abrollung auf den mit Keilschrift beschriebenen Tontafeln gleichbedeutend mit einer Unterschrift. Dieses Siegel zeigt rechts einen Gott mit Hörnerkrone, vor den ein Beter mit einem Opfertier tritt. Eingeführt wird der Beter durch eine hinter ihm schreitende niedere Göttin. Die Inschrift nennt u.a. den Namen des Besitzers. E.R.

Wagenschmuck: Jochzierscheibe
Urartäisch, gegen 800 v. Chr.
Bronze, H. 60 cm
Inv. Nr. 88/213

Neben der Reiterei blieb bis in das 8. und 7. Jh. v. Chr. die Technik der Kampfwagen, vor allem in Verbindung mit herrscherlicher Repräsentation, in Gebrauch. Sowohl bildliche Darstellungen als auch Fundobjekte geben eine Vorstellung von der reichen Ausstattung dieser Wagen. Diese Scheibe hat eine symmetrisch gearbeitete als Pendant, mit der sie das Joch über dem Nacken der Pferde schmückte. Die Darstellung ist von außergewöhnlicher Feinheit und Seltenheit: In der Mitte steht eine geflügelte, göttliche Gestalt in einem geflügelten Ring auf einem Stier, in den Händen Granatäpfelzweige haltend. Flankiert wird der Gott von zwei niederen, geflügelten Gottheiten. Vermutlich glaubte man durch das Tragen ihrer Abbilder deren Hilfe und Schutz im Kampf herbeirufen zu können. E.R.

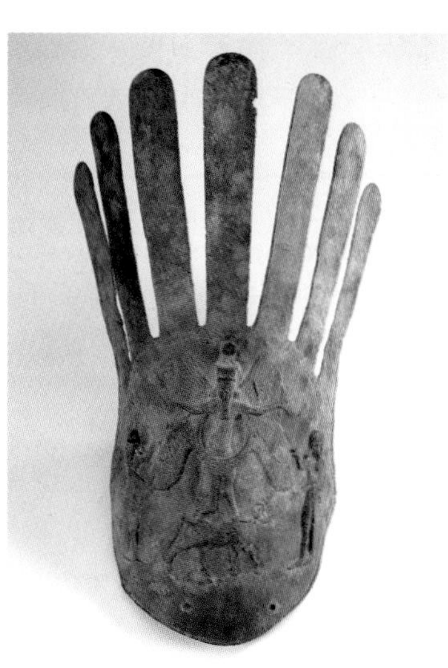

Spitzhelm mit Relieffriesen
Urartäisch, 800–700 v. Chr.
Bronze, H. 28 cm
Inv. Nr. 89/1

Metallhelme aus dem Alten Orient sind schon seit dem 3. Jt. v. Chr. bekannt, die meisten Funde aber stammen aus dem 1. Jt. v. Chr. Neben den nur wenig dekorierten Standard-Typen aus Urartu sind Prunkstücke wie der Karlsruher Helm selten. Auf der Stirnseite ist er mit mythischen Szenen geflügelter, göttlicher Wesen und löwenköpfiger Schlangen verziert, auf der Rückseite wurden Darstellungen realer Kriegeraufzüge wiedergegeben: Paraden von Reitern und Wagengespannen, Krieger als Träger ebensolcher Helme, bewaffnet mit Speeren und Rundschilden. Bei genauerer Betrachtung sind sogar die Jochzierscheiben zu erkennen. E.R.

Intarsie: Frau am Fenster
Phönizien, 8. Jh. v. Chr.
Elfenbein H. 8,1 cm
Inv. Nr. 70/523

Möbel, die mit kostbaren Elfenbeinintarsien versehen waren, sind u.a. aus Nimrud Mesopotamien, aus Salamis Zypern und aus Arslan Tasch Syrien bekannt. Bereits in der Bibel wird ein derart verzierter Thron im salomonischen Tempel erwähnt. Oft waren diese Elfenbeinschnitzereien noch mit Gold überzogen. Phönizische Zeichen auf den Rückseiten gaben den Tischlern Hinweise auf die Anbringungen. Die Motive sind unterschiedlich, neben Tierdarstellungen gibt es auch Darstellungen von göttlichen Wesen. E.R.

Wandsockelrelief aus Ninive
Neuassyrisch, Zeit des Sanherib (704–681 v. Chr.), Fund aus dem sog. Südwestpalast in Ninive
Kalkstein, H. 59 cm
Inv. Nr. 80/443
(Leihgabe der DaimlerChrysler AG)

In den repräsentativen Räumen der neuassyrischen Königspaläste waren

die Wandsockel mit Reliefplatten aus Stein verkleidet. Ursprünglich teilweise bemalt, gaben sie kultische, mythische und kriegerische Szenen wieder. Auf diesem Bruchstück sind Soldaten Sanheribs in kurzem Schurz, Lamellenpanzer, Stiefeln und Gamaschen zu sehen. Sie sind mit Spitzhelmen (vgl. auch S. 66), Lanze und Schwert ausgerüstet und führen ihre geschmückten Pferde an einem Flusslauf entlang. Der geschuppte Hintergrund gibt an, dass man sich auf diesem Kriegszug in einer Berglandschaft befindet. E.R.

Armreif

Achämenidisch, um 500–400 v. Chr., angebl. beim Bau des Kanals von Korinth gefunden

Gold, H. 7,9 cm

Inv. Nr. F 1816

Der übergroße, sehr fein gearbeitete Armreif ist an seinen Enden mit Löwenköpfen geschmückt, die ihrerseits Capridenköpfe verschlingen. Darstellungen von Tributbringern sind von den achämenidischen Reliefs aus Persepolis bekannt, die ebensolche, für das menschliche Handgelenk zu große Armreife herbeibringen. Der Löwe verkörpert die königliche Kraft, der Capride das gejagte Tier, im übertragenen Sinne vielleicht den Feind. E.R.

Gewandbesatzstücke

Achämenidisch, um 500–300 v. Chr.

Gold, H. 5,9 cm

Inv. Nr. 60/48 a.b

Antike Schriftsteller berichten über die Gewänder der persischen Vornehmen. Diese bestanden nicht nur aus kostbaren Stoffen, sondern waren außerdem noch mit Goldplättchen besetzt. Auch glasierte Ziegelbilder aus Susa, der Hauptstadt der Perser, zeigen königliche Krieger in einer solchen Tracht. Ebenso könnten Zelte mit solchen Applikationen verziert gewesen sein. Bei den Löwenköpfen handelt es sich um diese Schmuckart, denn auf den Rückseiten befinden sich Ösen zur Befestigung. Die Stilisierung zeichnet sich durch den Kontrast der relativ natürlich wiedergegebenen Gesichtszüge zur abstrakten Mähnengestaltung aus. E.R.

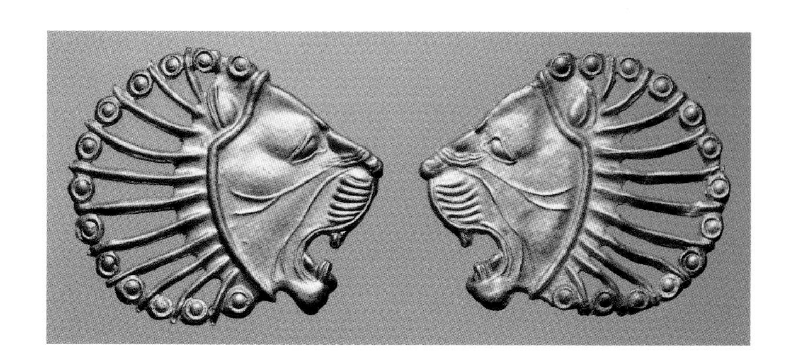

Treppenbrüstungsplatte aus Persepolis

Achämenidisch, um 500 v. Chr.,
Fund aus Persepolis
Graubrauner Kalkstein, H. 75 cm
Inv. Nr. 81/128

Die heutige Ruine von Persepolis war einst wahrscheinlich einer der Zeremonien- oder Kultorte der Perser, bis er von Alexander dem Großen zerstört wurde. Die große, auf einer künstlichen Terrasse errichtete Anlage ist mit zahlreichen Reliefs versehen, die vielfach wie endlose Bänder die Wände schmücken. Von einer Treppenwandung stammt, wie der Ansatz der Stufen erkennen lässt, dieses Stück. Es zeigt einen Diener in persischer Tracht mit Hose – einem typischen Requisit der Reitervölker – einem knielangen Hemd und einer Filzkappe. Mit einem Schwert gegürtet, trägt er in einer runden Dose vielleicht eine Speise herbei. E.R.

Tetradrachmen persischer Satrapen

a) Kyzikos in Mysien, um 395 v. Chr.
Silber, Dm. 20 mm
Inv. Nr. 73/29

b) Südwestliches Kleinasien,
um 400 v. Chr.
Silber, Dm. 25 mm
Inv. Nr. 91/308

Während sonst in der griechischen Welt erst die Nachfolger Alexanders des Großen es wagten, den Götterkopf der Münzen durch ihr eigenes Porträt zu ersetzen, ein Vorgang, der mit der Gotterklärung und göttlichen Verehrung des lebenden Herrschers zusammenhängt, finden sich bereits 100 Jahre zuvor bei einigen Satrapen des Perserkönigs vereinzelte Münzporträts auf seltenen Prägungen. Das Bildnis des Pharnabazos (a) ist durch die Inschrift benannt, das des Tissaphernes (b) konnte vor einigen Jahren durch neu aufgetauchte Parallelstücke gesichert werden. Diese beiden Zeugnisse der frühesten Porträtkunst auf Münzen überliefern uns also das Aussehen zweier wichtiger Feldherren des persischen Großkönigs im Kampf gegen die Griechen. P.-H. M.

Anhänger: Groteske Maske

Phönizisch, um 350–200 v. Chr.,
wahrscheinlich Fund aus Karthago
Farbiges Glas, H. 4,6 cm
Inv. Nr. 73/10

Im phönizischen Handelsgebiet waren solche Anhänger sehr verbreitet. Man maß ihnen nicht nur dekorative, sondern auch magische Bedeutung bei. Die großen Augen schützten vor dem ›Bösen Blick‹, auch die Farben Grün und Blau hatten für den Träger dieses Schmucks wohl Übel abwehrende Kraft. Noch im Grab spielte der Amulettcharakter dieser Anhänger eine wichtige Rolle. Unser überdurchschnittlich großes Beispiel ist besonders fein gearbeitet, wie an den sorgsam zu Tüllen gedrehten Locken zu sehen ist. E.R.

Reliefs aus dem Grab des Ii-nefret

Giza, Altes Reich, 5. Dyn., um 2400 v. Chr.
Kalkstein, H. der Scheintür: ca. 70 cm; H. der Längswand: ca. 130 cm
Inv. Nr. H 532, H 1050

Die Gräber des Alten Reiches vermitteln einen lebendigen Eindruck vom Alltag der Grabinhaber und geben zahlreiche Informationen zur Ar-

beit der Handwerker und Landarbeiter. Die Reliefs aus dem Grab des Pyramidenvorstehers Ii-nefret zeigen den Vogel- und Fischfang mit großen Netzen, die Feldarbeit und Hirtenszenen sowie die Zubereitung von Fleisch, Brot und Bier. Der Grabherr selbst erscheint im Kreise seiner Familie wie auch bei einer Bootsfahrt und der Jagd im Papyrusdickicht. S.A.

Opfertafel der Sat-Antef
Ägypten, Mittleres Reich,
12. Dyn., 20. Jh. v. Chr.
Kalkstein, L. 41 cm, B. 27,5 cm,
H. 7 cm
Inv. Nr. H 410

Auf der Opfertafel der Sat-Antef ist bereits alles vorhanden, was der Verstorbenen dargebracht werden sollte:

Die Opferformel und die Darstellungen auf dem stilisierten Opferbrot belegen Speise- und Trankopfer, die in die Vertiefungen gegossen wurden und nach vorn hin abflossen. S.A.

Schale in Form einer Oryxantilope
Ägypten, Neues Reich, 18. Dyn.,
um 1550–1292 v. Chr.
Holz, H. 5,8 cm, B. 12,4 cm
Inv. Nr. 65/27

Schalen für Schminke und Salben, die zum Alltag der ägyptischen Oberschicht gehörten, wurden gern in Tierform gestaltet. Hier ist eine Antilope, gefesselt als Opfertier, dargestellt. In der Schale befinden sich noch Spuren von verharztem Styraxbalsam und blauen Partikeln. S.A.

Statue des Gottes Amun
Ägypten, angeblich aus Karnak, späte
18. Dyn., um 1333–1292 v. Chr.
Kalkstein, H. 111,2 cm, B. 30,4 cm,
T. 80,4 cm
Inv. Nr. 65/15

Nach dem Versuch Echnatons, die ägyptische Götterwelt auf den Sonnengott Aton zu reduzieren, setzt unter seinen Nachfolgern eine Phase der Restauration mit der Verfemung des Aton und der Wiederbelebung der alten Kulte ein. So entstehen unter Tutanchamun zahlreiche Kultstatuen des alten Reichsgottes Amun, deren Gesichtszüge an denen des Herrschers orientiert sind. Auf dem Kopf trug er ehemals eine hohe Federkrone, und in seiner linken Hand hält er ein Anchzeichen, das Symbol für Leben. S.A.

Uschebti des Neb-Sumenu
Ägypten, Neues Reich, 19. Dyn.,
um 1292–1186 v. Chr.
Kalzit (sog. ägyptischer Alabaster),
H. 34,4 cm, B. 13,0 cm, T. 8,8 cm
Inv. Nr. H 12

Uschebtis sollten im Jenseits verschiedene Arbeiten für den Verstorbenen verrichten. Daher konnten zahlreiche solcher Statuetten mit ins Grab gegeben werden, damit dem Toten an jedem Tag des Jahres ein Diener zur Verfügung stand. Zumeist handelt es sich um kleinformatige, mumienförmige Fayence-Statuetten mit

Hacken in den Händen. Dagegen erscheint der Uschebti des Neb-Sumenu im Gewand der Lebenden und trägt in seinen Händen Symbole für Beständigkeit (Djed-Pfeiler) und Wiederauferstehung (Tit-Zeichen). S.A.

Oberteil eines Sarges
Ägypten, Spätzeit,
um 664–380 v. Chr.
Holz, H. 80 cm, B. 50 cm, T. 24 cm
Inv. Nr. 70/33

In der Spätzeit bevorzugte man anthropoide Särge, die die Mumiengestalt des Toten nachahmten. Der breite Brustkragen setzt sich aus vielen Reihen verschiedenartiger Perlen zusammen und schließt mit zwei Falkenköpfen seitlich ab. Darunter breitet die Himmelsgöttin Nut ihre Schwingen zum Schutz des Toten aus. S.A.

Amun auf dem Sänftenthron
Ägypten, 1. Hälfte 1. Jt. v. Chr.
Bronze, H. 25,3 cm, B. 6,9 cm, T. 21,2 cm
Inv. Nr. 67/32

Hier ist die charakteristische hohe Federkrone des Amun erhalten, die der großen Kultstatue fehlt. Statt des Anchzeichens hielt der Gott ehemals ein Zepter in der linken Hand. Die Trage verweist auf die Götterprozessionen an Festtagen, bei denen die einzige Möglichkeit für die Gläubigen bestand, die sonst im Allerheiligsten des Tempels verborgenen Kultbilder der Götter zu sehen. S.A.

Statuette des Osiris
Ägypten, 1. Drittel 1. Jt. v. Chr.
Bronze mit Goldauflage, H. 12,8 cm, B. 3,1 cm, T. 3,2 cm
Inv. Nr. H 568

Als Herrscher über das Jenseits erscheint Osiris in mumienförmiger Gestalt. Er trägt den Götterbart, die charakteristische Atef-Krone, die Uräusschlange über der Stirn sowie die Herrschaftssymbole Geißel und Krummstab in seinen Händen. Die Goldauflage auf dem Gesicht unterstreicht seine Göttlichkeit, da Gold von den Ägyptern als das ›Fleisch der Götter‹ angesehen wurde. S.A.

Isis mit dem Horuskind
Ägypten, frühe Ptolemäerzeit, um 300 v. Chr.
Fayence, H. 14,6 cm, B. 4,4 cm, T. 9,0 cm
Inv. Nr. 70/9

Erst spät in der ägyptischen Geschichte, in der 3. Zwischenzeit, entstanden die ersten rundplastischen Darstellungen der Göttin Isis, die ihren Sohn Horus stillt. Im Mythos

zieht sie ihn verborgen im Papyrusdickicht des Deltas auf und schützt ihn so vor der Verfolgung durch seine Feinde. In der griechisch-römischen Epoche gewann der Isiskult auch außerhalb Ägyptens enorme Bedeutung, wodurch das Bild von der stillenden Gottesmutter schließlich für die Ikonographie der ›Maria lactans‹ übernommen wurde. S.A.

›Kernos‹ (Opferbehälter?)
Kretisch, 3. Jt. v. Chr. (?)
Stein, L. 12,8 cm
Inv. 68/106

Mit Kernos bezeichnet man gewöhnlich aus Ton gefertigte Mehrfachgefäße, die zur Darreichung von Speiseopfergaben dienten. Ob diese Bezeichnung auf diese steinernen Blockgefäße (engl. block vases) mit den feinen linearen Ornamenten und den meist zwei, gelegentlich bis zu vier Vertiefungen zutrifft, ist nicht gesichert. Es handelt sich jedenfalls um typische Funde aus den großen Gemeinschafts-Rundgräbern der Vorpalastzeit des minoischen Kreta. M.M.

Statuette eines Beters
Kretisch, 15. Jh. v. Chr.(?)
Bronze, H. 12 cm
Inv. 94/806

Seit etwa 2000 v. Chr. stellten sich Frauen und Männer, die kretische Heiligtümer besuchten, dort in Weihefigürchen dar. In der Zeit der älteren Paläste waren diese Statuetten zunächst aus Terrakotta, ab etwa dem 15. Jh. v. Chr. aus Bronze angefertigt. Die Anbeter erscheinen mit einem knappen Schurz bekleidet in aufrechter, gespannter, leicht zurückgebogener Haltung, die rechte Hand an den Kopf oder über die Stirn gelegt, die linke Hand entspannt herabhängen lassend. M.M.

Diadem
Mykenisch, um 1500 v. Chr. (?) angeblich bei Larissa (Thessalien) gefunden
Goldblech, L. 21 cm
Inv. Nr. 92/9

Die Ornamente sind gepresst. Ähnlicher Schmuck fand sich in den königlichen Schachtgräbern von Mykene. M.M.

Zwei Idole
Mykenisch, 13. u. 14. Jh. v. Chr. (?)
Ton, H. 12,1 cm und 10,2 cm
Inv. Nr. 66/110 und 69/67

Durch die Armhaltung ähneln die Idoltypen griechischen Buchstaben und wurden daher als Phi(Φ)- und Psi(Ψ)-Idole benannt. Es handelt sich um verbreitete Typen, die den Göttern in Heiligtümern geweiht oder den Toten in Gräber mitgegeben wurden. M.M.

Sarg (Larnax)
Mykenisch, um 1200 v. Chr. (?)
Wohl Fund aus Tanagra Böotien
Ton, H. 48 cm
Inv. Nr. 65/86

Mit Larnax bezeichnet man Truhen, die aus Holz oder Ton für den häuslichen Gebrauch, aber auch zur Bestattung von Toten dienten, wie dieses Beispiel mit der Malerei von Klagefrauen. Wegen des kleinen Formates kann diese Larnax nicht zur Erstbestattung eines Erwachsenen verwendet worden sein. Wahrscheinlich enthielt sie eine Nachbestattung, denn man sammelte und barg so die Gebeine verwester Körper. Beigegeben waren hier eine hockende und eine thronende Figur, dazu verschiedene spielzeugartige Miniaturgefäße. Die beiden Delphine stammen vielleicht von der Bekrönung des verlorenen Deckels. M.M.

Grabamphora
Attisch, 720/10 v. Chr.
Ton, H. 69,5 cm
Inv. Nr. 60/12

Die Entwicklung zur klassischen griechischen Vasenmalerei beginnt im 11./10. Jh. v. Chr. mit Dekoren des sog. geometrischen Stils. Im 9. Jh. treten vereinzelt figürliche Motive auf, die dann einen immer breiteren Raum einnehmen. Auf diesem stattlichen Gefäß, das als Schmuck über dem Grab aufge-

stellt oder dem Toten mit in die Grube gegeben wurde, erscheinen Viergespanne mit Kriegern in einer Prozession zu Ehren des Toten, Kentauren und Hunde, die einen Hasen jagen. Die an Mündung und Henkeln aufgelegten Schlangen sind Symbole der Erde als der Wohnstatt der Toten. M.M.

Panathenäische Preisamphora
Attisch, um 540 v. Chr., von Exekias gemalt
Ton, H. 59,6 cm
Inv. Nr. 65/45

Zu den Festspielen der Panathenäen waren Amphoren mit Olivenöl aus den heiligen Hainen der Stadtgöttin Athena als Preise ausgesetzt. Die Vorderseiten solcher Amphoren zeigen die Speer schwingende Göttin, die Rückseiten verschiedene Kampfspiele, hier einen Ringkampf. Der Maler hat eine kühne Komposition entworfen und mit sicherer Hand ausgeführt. Die muskulösen Ringer verklammern sich mit dem ›Schwitzkasten‹ und der ›Beinschere‹, außen stehen ein Kampfrichter und ein dritter Ringer. M.M.

Trinkschale (Kylix) mit Darstellung von Töpferarbeiten
Attisch, 540–530 v. Chr.
Gebrannter Ton, H. 13 cm
Inv. Nr. 67/90

Trinkschalen dieser Form auf schlankem Fuß mit abgesetzter Lippe und vignettenhafter Miniaturmalerei beherrschten um die Mitte des 6. Jh. v. Chr. den Markt für Luxusgelagegeschirr. Die kleinen Bilder auf den beiden Seiten des Randes bieten das seltene Thema einer Werkstatt-Selbstdarstellung, mit zwei Arbeitsphasen in der Herstellung einer solchen Schale. Mit Humor hat der Maler den konzentriert arbeitenden Töpfer, dessen spreizbeinig hockenden Gehilfen, der die große Scheibe in Schwung hält, und einen müßigen Zuschauer charakterisiert. M.M.

Schildzeichen mit gelagertem Widder
Ostgriechisch, 530–500 v. Chr.
Bronze, Dm. 80 cm
Inv. Nr. 79/446a

Die griechischen Kampfschilde waren äußerst kunstvolle technische Gebilde. Formung und Schichtung von Holz, Leder und Bronzeblechen ergaben elastische Festigkeit bei geringem Gewicht. Als Schmuck dienen kleine Reliefs an der Innenseite und die großen Bildmotive mit Fernwirkung auf der Außenseite. Solche Waffen konnten sich nur Fürsten oder die Vermögenden in den Städten leisten, die das Aufgebot der Schwerbewaffneten zu stellen hatten. Die Motive der Schildzeichen sind sehr vielfältig. Man findet u.a. Götter, Sagengestalten, Tiere, Fabelwesen, teils

in ganzer Figur, teils in Ausschnitten. Diese Motive sollten den Träger kenntlich machen und die Feinde schrecken, beeindrucken oder den Sieg symbolisieren. M.M.

Weinmischgefäß (Krater)
Attisch, um 510 v. Chr., Fund aus Lokri (Süditalien)
Ton, H. 34 cm
Inv. Nr. B 32

Der Krater zeichnet sich durch die weißgrundige statt der gewöhnlichen tongrundigen Bemalung aus. Der Maler hat zwei beliebte und oft wiederholte Sagenthemen ausgewählt. Auf der einen Seite entkommt Odysseus unter einem Widder aus der Höhle des menschfressenden Riesen Polyphem, den er trunken gemacht und geblendet hat, auf der anderen Seite brechen Amazonen in den Kampf auf.

M.M.

Trinkschale (Kylix)

Attisch, gegen 510 v. Chr.
Gebrannter Ton, H. 11,9 cm
Inv. Nr. 63/104

Das Thema der Bilder auf dieser Schale könnte man umschreiben mit ›Unholde als Störenfriede‹. Auf dem Innenbild greift ein Kentaur mit Baumstamm und Felsbrocken an, seine Gegner (vielleicht die Hochzeitsgesellschaft des Königs Peirithoos) sind der Phantasie des Betrachters überlassen. Auf den Außenbildern wird ein Gelage von Satyrn gestört. Alle drei Bilder hat der Maler Phintias signiert, einer der Pioniere der Vasenmalerei seiner Zeit; die Inschriften sind allerdings nur noch schwach erkennbar.

M.M.

Die Siegesgöttin Nike

Gela, Sizilien(?), um 500/490 v. Chr.
Terrakotta, bemalt, H. 59,8 cm
Inv. Nr. 76/122 und 77/86

Um 500 v. Chr. traten großformatige Werke der Terrakottaplastik mit höchstem künstlerischen Anspruch gleichwertig neben solche aus Bronze und Stein. Die siegbringende Göttin ist hier im Flug dargestellt, der Haare und Gewand zurückwehen lässt. Die Rückseite ist summarischer ausgeführt, es

handelt sich wohl um eine Aufsatzfigur eines Tempelgiebels. Andere Statuen waren rundum mit gleicher Sorgfalt ausgeführt und standen frei, einzeln oder in Gruppen in Heiligtümern. M.M.

Schwere sizilische Drachme
Naxos auf Sizilien, um 540 v. Chr.
Silber, Dm. 26 mm
Inv. Nr. 74/84

Dieses Meisterwerk der archaischen Münzprägung wurde in Naxos bei Taormina, der ältesten Griechenstadt auf Sizilien, geprägt. Die Stadt war von Siedlern von der Insel Naxos und aus Chalkis gegründet worden und eng mit Athen verbunden. Ihre künstlerisch hoch stehenden Münzen sind wohl auch von attischen Künstlern geschaffen worden. Die im schweren sizilischen Standard ausgebrachte Drachme zeigt den Kopf des Weingottes Dionysos mit einem Efeukranz nach links, sie gehört zu den besten Werken archaisch-griechischer Kunst des Museums. P.-H.M.

Weinmischgefäß (Krater) mit Darstellung der Aussendung des Triptolemos
Attisch, um 490 v. Chr.
Ton, H. 61 cm
Inv. Nr. 68/101

Die Korngöttin Demeter steht, mit Ähren in den Händen, an einem bekränzten und blutbesprengten Altar, ihr gegenüber der Heros Triptolemos mit Zepter neben seinem Flügelwagen. Die Namen sind in verblasster Farbe beigeschrieben. Triptolemos erhält den Auftrag, den Menschen die Segnung des Ackerbaus zu bringen. Charakteristisch für den Maler sind Kompositionen mit einzelnen Figuren oder Zweiergruppen, die er ohne Umrahmung, nur auf einer Standlinie in der schwarzen Gefäßoberfläche aussparte. M.M.

Grablekythos
Attisch, um 450 v. Chr.
Ton, H. 23 cm
Inv. Nr. B 2663

Die Athener durften zeitweilig wegen Gesetzen, die den Luxus auf den Friedhöfen beschränkten, nur ganz einfache, kunstlose Grabmäler errichten. Dem Bedürfnis nach Kunst bei den Zeremonien dienten daher weißgrundige Lekythen, für symbolische Duftölspenden angefertigt und von führenden Vasenmalern oft in erlesenster Qualität wie für anspruchsvollste Kunstkenner bemalt. Die Bildthemen umfassen Abschieds-, Trauer- und Totenkultszenen sowie Jenseitsmythen. Hier erscheint der Totenfährmann Charon mit seinem Nachen auf dem Unterweltsfluss, vor ihm der Schatten, das ›eidolon‹, einer Verstorbenen. M.M.

Kopf von einer Statue des Apoll
Römisch, 2. Jh. n. Chr. (?), nach einem griechischen, dem Bildhauer Phidias zugeschriebenen Original der Zeit um 450 v. Chr.
Marmor, H. 30,5 cm
Inv. Nr. 59/40

Das Werk, auf dessen Vorbild dieser Kopf zurückgeht, wurde von den Römern sehr geschätzt und häufig kopiert. Nach der bekanntesten Kopie dieser Statue in Kassel ist der Typus als Kasseler Apoll bekannt. Der legendäre Ruhm des Phidias, für viele der größte Bildhauer der Antike, beruhte auf den kolossalen Kultbildstatuen der Athena auf der Akropolis in Athen und des Zeus in Olympia, die mit Gold und Elfenbein verkleidet waren. M.M.

Wasserkrug (Hydria)
mit dem Urteil des Paris
Attisch, um 400 v. Chr.
Ton, H. 49,5 cm
Inv. Nr. B 36

Der Götterbote Hermes hat die um den Preis ihrer Schönheit streitenden Göttinnen Hera, Athena und Aphrodite zu Paris geführt, den die verblasste Namensinschrift hier Alexandros nennt. Seine Entscheidung für die Liebesgöttin Aphrodite hatte den trojanischen Krieg zur Folge. Ratschluss und Mitwirkung der Götter sind durch den Göttervater Zeus, den Sonnengott Helios und durch die Göttin des Streits, Eris, versinnbildlicht. Der Fries darunter zeigt die hinreißend tanzenden und musizierenden Satyrn und Mänaden, die den jugendlichen Gott Dionysos ekstatisch feiern. Die Malerei zeigt eine Vielfalt von beschwingten und graziösen Motiven, vor allem ein erotisches Erscheinungsbild eleganter Frauen in durchscheinenden, raffiniert verrutschenden oder wegwehenden Gewändern. M.M.

Lekythos mit Darstellung
des Adonisfestes
Attisch, um 390 v. Chr.
Ton, H. 14 cm
Inv. Nr. B 39

Bei diesem Fest trugen Frauen die in zerbrochene Krüge gepflanzten Adonisgärtchen auf die Hausdächer. Das Verdorren dieser Saaten symbolisierte den Mythos vom Tod des Vegetationsgottes Adonis im Jahreszeiten-Kreislauf von Wachsen und Vergehen. Hier ist es die Liebesgöttin Aphrodite selbst, die mit der Leiter auf das Hausdach steigt, um diesen Ritus für ihren verlorenen Geliebten zu vollziehen. Die Inschrift: »Er ist schön, sie ist schön« ist im Zusammenhang mit dem erotischen Gehalt des Mythos zu verstehen. M.M.

Grabrelief der Myrrhine
Attisch, um 360 v. Chr.
Marmor, H. 93 cm
Inv. Nr. 66/64

Seit etwa 430 bis 317 v. Chr. war es den reichen Familien in Athen erlaubt, ihre Grabbezirke mit prunkvollen Grabmälern zu schmücken. Man stellte Reliefstelen mit den Bildern von Verstorbenen und Angehörigen auf. Die reichsten und größten Gräber hatten die Form von Säulentempeln auf hohen Sockelbauten. Unser Grabrelief zeigt am Giebel außer dem Namen der Grabinhaberin auch die Namen der beiden Angehörigen: Plathane und Choiros. Darüber erscheint in weniger sorgfältiger Schrift nachträglich eingemeißelt der Name einer nicht dargestellten Frau, Kallisto, die mit in dem Familiengrab bestattet worden sein dürfte. M.M.

Grabprunkvase mit Darstellungen von Unterweltsmythen
Apulisch, 350–340 v. Chr.
Ton, H. 122 cm
Inv. Nr. B 4

Das Unterweltsbild stellt die Gerechtigkeit im Jenseits und die Hoffnung auf Erlösung aus dem Totenreich in mythischen Gestalten dar. In der Mitte steht der Palast der Unterweltsgötter. Strafgöttinnen überwachen die Qualen von Übeltätern, die vergeblichen Mühen des Stein wälzenden Sisyphos und der

Wasser schöpfenden Töchter des Danaos. Erlösungshoffnung vertreten der Sänger Orpheus, der seine Gemahlin Eurydike aus der Unterwelt freibitten konnte, und Herakles, der den dreiköpfigen Höllenhund Kerberos, den Wächter der Unterwelt, bezwingt. M.M.

Statuette eines Ringers
Böotisch, 300–270 v. Chr.
Terrakotta, H. 9,6 cm
Inv. Nr. B 2690

Im 4. Jh. v. Chr. zeigen die Terrakottafiguren eine besondere Vielfalt. Traditionelle Typen, wie etwa die Votivfiguren in den Heiligtümern, behielten ihre Geltung, daneben gewannen Genrethemen für Liebhaberkreise an Bedeutung. Als persönlichen Besitz gab man solche Figuren den Toten mit ins Grab. Das Repertoire umfasst die beliebten schönen Mädchen, Theaterfiguren und Tänzerinnen, aber auch hässliche Grotesken wie diesen Ringer. Im 4. Jh. v. Chr. hatte sich im Sport ein Profiwesen entwickelt, das den Athleten einiger Disziplinen wegen berufsbedingter Entstellungen, wie unsere Statuette zeigt, Spott und Verachtung eintrug. M.M.

Aphrodite-Statuette
Kleinasiatisch (Smyrna?),
Ende 2./Anfang 1. Jh. v. Chr.
Terrakotta, H. 63 cm
Inv. Nr. 66/18

An der Rückseite ein (bislang nicht auflösbares) Künstlermonogramm. Die anmutig bewegte Gestalt, das wie zufällig verrutschte Gewand und die intime Situation der Darstellung sind charakteristisch für nachklassische Aphroditefiguren. Der Typus dieser Statuette ist in mehreren, aber kleineren Ausführungen erhalten. Sie gehören in den Zusammenhang mit anderen Terrakottastatuetten aus Kleinasien, die berühmte Statuen wiedergeben und die ihrem Charakter nach als Liebhaberstücke zu verstehen sind. M.M.

Antike II

Etrusker, Italiker, Rom und Byzanz

Seit dem 8. Jh. v. Chr., etwa in der Zeit Homers, gründeten Auswanderer aus den Städten des griechischen Mutterlandes Niederlassungen in vielen Regionen des Mittel- und des Schwarzen Meeres. Die politisch unabhängigen, aber mit den Mutterstädten kulturell verbundenen Kolonien in Sizilien und Unteritalien erreichten eine besonders hohe Blüte, von der großartige Bauten und eine reiche Keramikproduktion die bekanntesten Zeugnisse sind. In Konkurrenz zu ihnen standen die Etrusker und Italiker, bei denen wir Übernahmen orientalischer und griechischer Einflüsse mit einer starken eigenen Prägung vereinigt finden.

Das römische Reich wird zum Träger griechischer Kultur, die so der Nachwelt übermittelt wurde. Unter dem Kaiser Trajan (98–117 n. Chr.) umfasste das Römerreich die Gebiete von den ›Säulen des Herkules‹ (Gibraltar) bis Mesopotamien, von Britannien bis Nordafrika. Hier galten dasselbe Recht, dieselbe Währung, dieselben Bildungsideale einer Welt, die wir als ›griechisch-römisch‹ bezeichnen.

In der Spätantike ging durch die Reichsteilung mit dem griechischen Ostrom (Byzanz) und lateinischen Westrom diese kulturelle Einheit verloren. Dabei übertraf das Byzantinische Reich an Dauer das römische und hatte wechselvollere Entwicklungen und Auseinandersetzungen mit anderen Weltmächten, dem Islam und den Slawen. Außerdem spielten Religionsfragen eine Rolle wie nie zuvor.

M.M.

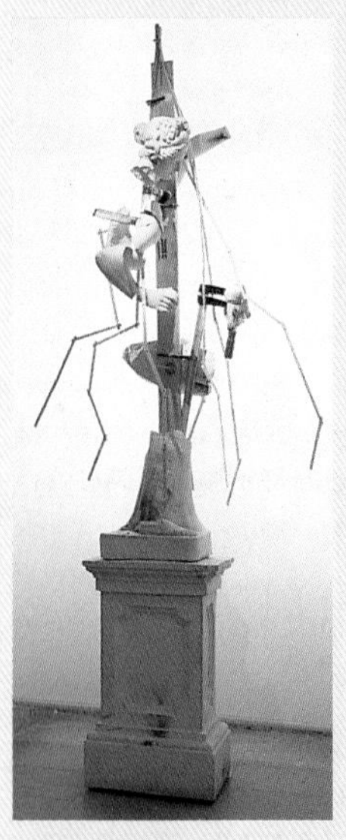

Pavel Schmitt (geb. 1946)
Bacchus/ Venus, 1996
Kunststein, moderne Werkzeuge

Die beiden Gipsabgüsse alter Skulpturen wurden von dem ünstler in einer Aktion gesprengt und anschließend zu fragmentarischen Kompositionen zusammengesetzt: Metapher der nicht mehr existenten Ungebrochenheit antiker Tradition.

Bogenschütze mit Hörnerhelm
Sardisch, 8./7. Jh. v. Chr. (?)
Bronze, H. 17,2 cm
Inv. Nr. 80/105

Krieger, Opfernde, Gefäßträgerinnen, Mütter mit Kindern und Schiffe sind die wichtigsten Themen sardischer Bronzekunst. Wir kennen sie als Funde aus den Rundburgen (Nuraghen), Heiligtümern und Gräbern, aber auch als Exporte nach Etrurien. M.M.

Weihrauchständer
mit Jüngling als Stützfigur
Etruskisch, um 520–500 v. Chr.
Werkstatt von Vulci
Bronze, H. 49,8 cm
Inv. Nr. F 577

Die etruskische Bronzekunst war weithin berühmt, ihre Erzeugnisse fanden als Exporte rund um das Mittelmeer und bis nach Mitteleuropa Verbreitung. Zu den Luxusgeräten bei Banketten gehörten dreifüßige Weihrauchständer mit Stützfiguren, die einen Schaft mit schirmartigen Blattkränzen tragen. Die Weltoffenheit der etruskischen Handelsstädte tritt mit den künstlerischen Einflüssen aus verschiedenen Gegenden Griechenlands hervor. Der Ausdruck von festlicher Vornehmheit und Üppigkeit statt Athletentum verbindet die etruskische mit der ostgriechischen Kunst. M.M.

Weihrauchständer
mit Tänzer als Stützfigur
Etruskisch, um 500 v. Chr.
Werkstatt von Vulci
Bronze, H. 35,6 cm
Inv. Nr. 62/93

Bei diesem Räucherständer sind die fehlenden Teile, das obere Ende des Schaftes und die Schale, entsprechend dem vorigen zu ergänzen. Die Stützfigur zeigt hier ein beliebtes Motiv, einen nackten Jüngling als schwungvollen Tänzer mit ausgebreiteten Armen und scharf angezogenem Bein. Die Frische und Genauigkeit der Ausführung, besonders des Gesichtsschnitts und der Frisur, geben der Figur ihren besonderen Reiz, sie gehört zu den besten ihrer Art. M.M.

Stabdreifuß
Etruskisch, um 500–480 v. Chr.
Werkstätte von Vulci
Bronze, H. 63 cm
Inv. Nr. F 203

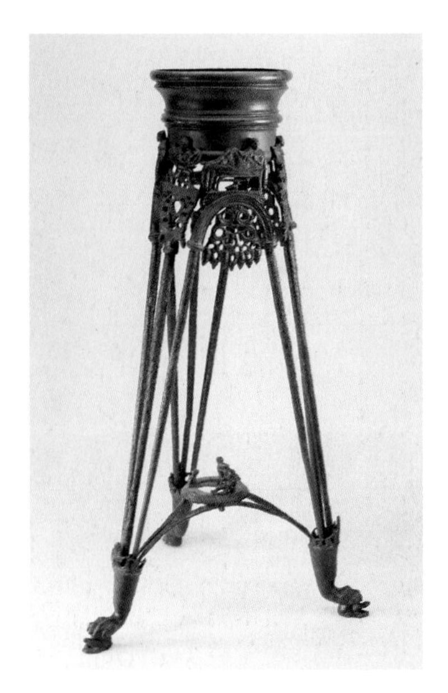

Eine andere, ebenfalls sehr beliebte Form der Räucherbeckenständer waren die Dreifüße. Hier ist der Tragring ergänzt, die Räucherschale selbst fehlt. Der Dreifuß steht mit Löwentatzen auf Froschfiguren und ist mit gelagerten Zechern und geflügelten mythischen, nicht genauer benennbaren Gestalten geschmückt. M.M.

Kopfkanne
Faliskisch (Landschaft nördl. Roms), 400/350 v. Chr. (?)
Ton, H. 27 cm
Inv. Nr. 73/129

Dargestellt ist ein Schwarzafrikaner mit reich verziertem Kopftuch und festlichem Myrtenkranz. Der Henkelansatz wird durch eine kleine Silenmaske betont. Die schwarzhäutigen Afrikaner spielen in der griechischen Mythologie, die in Etrurien bekannt war, als Götterlieblinge eine besondere Rolle. Als schönste der Menschen werden die Äthiopier in der griechischen Dichtung gerühmt. M.M.

Statuette des Herakles
Mittelitalisch, sabellisch (?), vor 350 v. Chr., Fund aus Monte Cassino
Bronze, H. 23 cm
Inv. Nr. 64/122

Die Verehrung des Herakles (etruskisch: Herkle, lateinisch: Hercules) war in Italien besonders verbreitet. Der Held trägt hier nicht nur sein Löwenfell, sondern auch einen Panzer, der ihn im Unterschied zu seiner Erscheinung in Griechenland als Kriegsgott charakterisiert. M.M.

Urnendeckelfigur einer vornehmen Etruskerin
Etruskisch, Chiusi, 150–120 v. Chr.
Terrakotta, H. 31,7 cm
Inv. Nr. 62/34

Mit ungewöhnlich frischer und vollständiger Bemalung, aber ohne die zugehörige Aschenkiste erhalten. Die Tote erscheint lässig und bequem gelagert, in feinen Gewändern und mit reichem Schmuck. Sie wendet ihren Kopf leicht empor und dabei nach außen, mit einer Bewegung, die dem Betrachter den Eindruck einer ansprechenden Lebendigkeit gibt. M.M.

Stierbarren
Rom, um 280–242 v. Chr.
Bronze, H. 9,5 cm, B. 16 cm
Inv. Nr. 64/121

Diese schweren Bronzebarren (Gewicht 1,5 kg) stellen eine Frühform des römischen Geldes dar. Die bebilderten viereckigen Barren – aes signatum genannt – hatten zweifellos neben runden gegossenen Bronzemünzen am Geldumlauf Anteil, wenn sie auch wohl nur von Fall zu Fall aus feierlichen Gründen, die uns unbekannt sind, ausgegeben wurden. Der vorliegende Barren mit dem Bild eines Stieres, von dem sich nur fünf vollständige Exemplare erhalten haben, illustriert die Herkunft des lateinischen Wortes für Geld ›pecunia‹ aus den archaischen Zeiten des Tauschhandels mit Vieh ›pecus‹. Der Karlsruher Stierbarren war einst im Besitz der Familie Borgia. P.-H. M.

Bauschmuckplatte
Mittelitalien, 1. Jh. n. Chr. (?)
Ton, matrizengeformt, einst farbig gefasst, H. 32 cm
Inv. Nr. L 104 (Leihgabe des Freundeskreises des Badischen Landesmuseums)

Dargestellt ist eine Säulenhalle, die sich auf weiteren Platten, von denen mehrere erhalten sind, mit der Wiederholung des Motives fortsetzte. Zwischen den Säulen stehen die Statue eines siegreichen Athleten, Prunkgefäße und Hermen. Darüber hängen Girlanden, Bilderschmuckscheiben und Masken. Die Art solcher Bauschmuckplatten ist nach dem Marchese und Sammler Campana benannt. Sie wurden vor allem in Mittelitalien, in der Folge auch in den Provinzen hergestellt und verwendet. Ihr Repertoire umfasst klassisch griechische Motive wie hier, aber auch volkstümliche Darstellungen wie Circus und Triumphzüge. M.M.

Freskofragment
Italien, Römische Kaiserzeit,
um 60 n. Chr.
L. 127,5 cm
Inv. Nr. 75/8

Die römische Wandmalerei spielte mit verschiedenen Arten von Illusionen. Sie täuschte farbige Marmorverkleidungen und andere Architekturelemente vor, aber auch Konstruktionen, in denen sich Motive filigraner Metallgeräte und luftiger Bauten zu Phantasiegebilden vermischen. Ein anderes Motiv, das auch engen Stadtwohnungen mit kleinen Höfen und Gärtchen die Illusion von Freiheit und Weite verlieh, sind die beliebten Gartenfresken, wie hier ein fliegender Reiher, der neben einem Margeritenstrauch landet. M.M.

Spiegel mit Porträt des Kaisers Domitian
Zwischen 81 und 96 n. Chr.
Griechisch signiert: »Euporou«,
Werk des Euporos
Silber, getrieben, Dm. 11,8 cm
Inv. Nr. 68/40

Der Spiegel war wohl ein kaiserliches Geschenk an eine hoch gestellte Persönlichkeit. Der Kaiser hat sich hier im Stil hellenistischer Herrscher mit energischen und pathetisch bewegten Zü-

gen darstellen lassen. Herrscherliche Attribute sind der Lorbeerkranz mit der Nackenbinde und das kleine Palladion vor dem Büstenabschnitt. Diesem Götterbild schrieb man einen Ursprung aus Troja zu, es galt als Garant für den Bestand Roms. M.M.

Grabaltar
Römisch, um 110–120
Fund aus Bari
Marmor, H. 135 cm
Inv. Nr. 67/134

Solche Grabaltäre standen, wie in Pompeji besonders anschaulich erhalten, auf gestuften Sockeln, die Grabbezirkmauern überragend, entlang den Straßen außerhalb der römischen Städte. Die Hauptseite dieses Altars zeigt das Porträt der Verstorbenen, Fabia Stratonice, Eingeweihte in die Mysterien der Isis. Zu diesem ägyptischen Kult gehören die weiteren Darstellungen von Göttern als Wiedergabe von gesockelten Statuen, auf der linken Nebenseite Osiris, auf der rechten Hermanubis. Der Isiskult hatte im römischen Kaiserreich eine weite Verbreitung gefunden. Mit dem Kult gelangten Motive und Stil der ägyptischen Kunst auch in abgelegene Teile des römischen Reiches. M.M.

Hängender Marsyas
Römisch, 2. Jh., Kopie nach griechischem Vorbild des 2. Jh. v. Chr.,
Fund aus Marino, östlich von Rom
Rötlicher Marmor (Farbe durch Kriegsbrand beeinträchtigt),
H. 312 cm
Inv. Nr. B 2301

Teil der 1884 gefundenen Statuenausstattung einer Villa. Marsyas wird zur Strafe geschunden, weil er sich vermessen hatte, den Gott Apollon zu einem musikalischen Wettstreit herauszufordern. Die Originalstatue war Teil einer Gruppe, die von anderen Statuenkopien und von Münzdarstellungen bekannt ist. Dazu gehörten ein Messer wetzender Skythe und wahrscheinlich Apollon als strafender Sieger des Wettstreites. M.M.

Mosaikfeld
Römische Kaiserzeit, Mitte 2. Jh.,
angebl. aus Antiochia am Orontes
(Syrien)
Farbige Steine, H. 48 cm,
B. 45,5 cm
Inv. Nr. 65/74

In die Ornamente von Bodenmosaiken wurden oft Einsatzbilder in feinerer

Arbeit eingesetzt. Die hier ausgewählte tragische Theatermaske gehört zu einer Serie mit dem Kopf des Weingottes Dionysos, zu dessen Ehre Theaterspiele stattfanden, und dem einer Mänade aus seinem Gefolge. Dieses Bildprogramm gibt die kultivierte Naturverbundenheit des Herrn einer Villa im Geist seiner Zeit zu erkennen. Das malerische Orontestal bei Antiochia war eine für luxuriöse Villen bevorzugte Gegend. M.M.

Jupiter-Giganten-Säule
Fund aus dem Mithrasheiligtum in Heidelberg-Neuenheim, 2. Jh.
Buntsandstein, H. 216 cm
Inv. Nr. C 17

Eine Verschmelzung römischer und einheimischer Gottesvorstellungen fand vor allem in den Randgebieten des römischen Reiches statt. Nur aus dem nordgallisch-obergermanischen Raum sind solche Jupiter-Gigantensäulen bekannt. Sie standen vor allem in Gutshöfen und kleineren ländlichen Siedlungen. Auf einem mit den Köpfen der vier Jahreszeiten (Horen) verzierten Kapitell reitet der Blitze schwingende Jupiter über einen schlangenfüßigen, gestürzten Giganten hinweg. Hier wurde offenbar eine keltische Gottheit mit Jupiter identifiziert, denn Jupiter wurde sonst nicht reitend dargestellt. Das Thema des Gigantenkampfes geht jedoch in die griechische Mythologie zurück. M.M.

Mündung eines Opferstockes mit Halbfigur einer sitzenden Göttin
Römisch, wohl aus Syrien, 2. Jh.
Bronze, Versilberung an der Krone, eingelegte Augen (wohl in Silber) herausgefallen, H. 13,8 cm
Inv. Nr. 91/149

Die Göttin trägt über dem Schleier die Mauerkrone als Abzeichen der Personifikation oder Schutzgöttin einer Stadt. Der Münzeinwurf ist verdeckt durch die füllhornartig präsentierten Früchte, die sie in einem Gewandbausch auf dem Schoß hält. Die Figur saß mit hinten ansteigendem, spitz auslaufendem Anschluss auf dem Behälter, von dem jedoch nichts erhalten ist. M.M.

Kindersarkophag
Römisch, um 240
Marmor, mit Resten farbiger Fassung, L. 129 cm
Inv. Nr. 69/47

Die festliche Bootsfahrt der kindlichen Liebesgötter Amor, Psyche und der Eroten auf dem Nil ist Sinnbild eines glücklichen Lebens; Palmen und der Leuchtturm von Alexandria deuten die Örtlichkeit an. Zu der heiteren Szenerie gehören Schwimmer und Fischer. Die Darstellung verbindet das Motiv Ägyptens als ein Land der Sehnsucht mit Wunschbildern von Mythos und Jenseits. M.M.

Porträt eines Bärtigen
Römisch, um 260/270, bei Athen gefunden
Marmor, H. 28 cm
Inv. Nr. B 2172

Der Elefant geht einen Landungssteg zum Schiff hinauf. Zwei Mannschaften von je vier Helfern, die sich schräg gegen den Zug stemmen, lenken seine Schritte mit Hilfe von Seilen, die um seine Füße gewunden sind. Die Elefanten waren Lieblinge des Publikums im Circus und bei Triumphzügen. Das Bild von der Beschaffung eines dieser Dickhäuter als Villenschmuck stellt die Mitwirkung eines Angehörigen der Oberschicht bei den großen Veranstaltungen des öffentlichen Lebens heraus. M.M.

Ein weiteres Marmorporträt dieses Unbekannten beweist, dass für ihn Ehrenstatuen an verschiedenen Orten errichtet wurden. Der jugendlich wirkende Mann hat nach der Mode seiner Zeit eine kurze Frisur und einen kurz geschorenen Bart, den der Bildhauer als Ritzungen in der Gesichtsfläche andeutete. Die Züge lassen eine philosophische, besorgte Lebensauffassung erkennen, im Gegensatz zum rauen Habitus der folgenden unruhigen Zeiten unter den Soldatenkaisern. M.M.

Mosaik mit Darstellung der Verschiffung eines Elefanten
Römisch, aus einer Villa in Veji, wohl 4. oder 5. Jh.
Farbige Steine und Gläser, B. 370 cm
Inv. Nr. 98/388

Medaillon zu 4½ Solidi
Rom, 355–361
Gold, Dm. 3,7 cm
Inv. Nr. 67/83

Spätrömische Goldstücke dieser Größe und von ungewöhnlichem Gewicht – das Medaillon wiegt 20,2 g und entspricht damit dem 4½fachen der üblichen Goldmünze der Zeit – waren nicht für den normalen Geldverkehr gedacht. Solche Sonderprägungen dienten dem Kaiser als Geschenke für hohe Beamte und Offiziere zu besonderen Anlässen. Sie wurden aber auch als diplomatische Ehrengaben an auswärtige Fürsten verwendet. Daher liegen die Fundorte dieser Stücke oft außerhalb der Grenzen des römischen Reiches. Das vorliegende Medaillon wurde in den dreißiger Jahren bei Stockach nördlich des Bodensees

gefunden, es ist die größte in Deutschland gefundene römische Goldmünze und das schönste Exemplar von nur zwei erhaltenen. Der dargestellte Kaiser ist Constantius II., (337–361), der dritte Sohn Constantins des Großen.

P.-H. M.

Tunika
Ägypten, 6. Jh. (?)
Leinengewebe, B. ca. 160 cm
Inv. Nr. T 207

Antike Textilien sind uns fast nur dank der klimatischen Bedingungen in Ägypten erhalten. Es handelt sich um Gewänder, Decken oder auch um wiederverwendete Vorhangstoffe, in denen man die Toten bestattete. Diese Tunika weist aufgesetzte Zierstücke mit Wirkerei in Wolle und Leinen auf. Am Halsausschnitt erscheinen Löwenkämpfer zwischen Bäumen. Augen und gekauerte Löwen bilden die Motive von einzelnen Medaillons und Schmuckstreifen.

M.M.

Vortragekreuz
Byzantinisch, 6.–7. Jh.
Silber mit Nielloeinlagen, H. 50 cm
Inv. Nr. 94/700

Auf der Vorderseite erscheint in griechischen Buchstaben der sog. Trishagioshymnos: »Heilig ist Gott, heilig und mächtig – heilig, unsterblich, erbarme dich unser«. Die Anhänger an den Kreuzarmen, wohl kleine Kreuze

oder Perlen, sind verloren. Auf der Rückseite erscheinen eine kreuzförmige Textfigur aus den griechischen Worten für ›Licht‹ und ›Leben‹ (ΦΩΣ und ΖΩΗ) und Stiftermonogramme. Das Kreuz zeigt den hohen Rang von kunstvollen Monogrammen und kalligraphischen Inschriften in der byzantinischen Kunst. M.M.

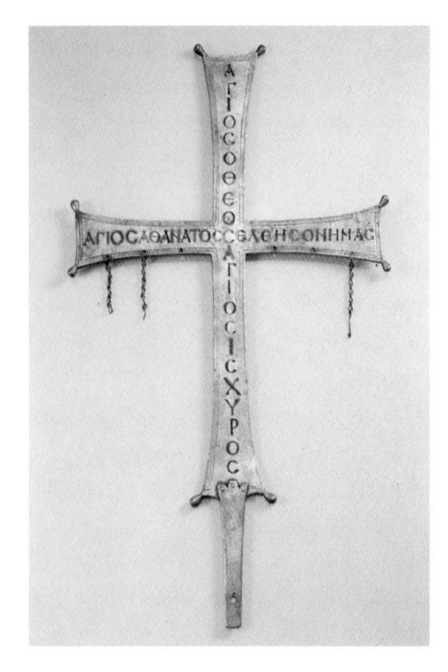

Diskos (Patene)
Byzantinisch, 6./7. Jh.
Silber, Dm. ca. 36 cm
Inv. Nr. 93/1062

Patene wäre die Bezeichnung eines entsprechenden Tellers in der westlichen Liturgie. Seine Funktion im Dienst der Eucharistie erläutert die ziselierte Darstellung eines Gemmenkreuzes (›crux gemmata‹) auf dem Hügel von Golgatha mit den vier Paradiesströmen. Außen laufen zwei dekorative Friese um, der innere mit Akanthusblättern, der äußere aus wellenartig komponierten Kreissegmenten. M.M.

Weihrauchfass
Syropalästinensisch, 7. Jh.
Bronze, H. 10 cm
Inv. Nr. 94/724

Die Weihrauchfässer dieser Art aus dem Heiligen Land zeigen die Hauptereignisse der Jesusgeschichte, hier: Verkündigung, Geburt, Taufe, Kreuzigung und die Frauen am Grab. An der Fußunterseite erscheint die thronende Maria. Drei blütenartig stilisierte Ösen dienten zur Aufhängung an Ketten. Diese Weihrauchfässer hatten ihre besondere Blütezeit im 7. Jh., wurden aber auch noch lange danach hergestellt. Sie waren als Pilgermit-

bringsel sehr beliebt und bis nach Armenien und Ägypten verbreitet. M.M.

Relief mit der Darstellung der Hodegetria

Byzantinisch, 10./11. Jh. (?)
Elfenbein, H. 24,5 cm
Inv. Nr. 68/80

Die beliebteste Darstellung des Jesuskindes mit seiner Mutter in der Ostkirche ist der Typus der Hodegetria, »der auf (Christus als) den Weg (zum Heil) weisenden Maria«. Das Relief gehört zu einer Gruppe von Arbeiten, die zur Hofkunst zu rechnen sind. Die Figur wurde nachträglich aus der Reliefplatte eines Altärchens oder Buchdeckels ausgeschnitten. Im 19. Jh. wurde dazu eine Verkleidung aus versilbertem Kupfer angefertigt, die nur die Gesichter freiließ, die übrigen Motive aber doch getreu wiedergab. M.M.

Schale

Byzantinisch, 12./13. Jh. (?)
Ton, glasiert und reliefartig geritzt (»Champlevé«-Technik),
Dm. 26,7 cm
Inv. Nr. 69/60

Schalen dieser Art zeigen meist medaillonartige Bilder von Vögeln, Fischen, Vierfüßlern oder Fabelgetier. Hier erscheint ein wappenartiger Adler zwischen zwei Beutetieren, vielleicht ein Hase und eine Antilope. Die glasierte und ritzverzierte byzantinische Keramik stammt aus verschiedenen Zentren in Griechenland und Kleinasien. Sie war ein geschätzter Ausfuhrartikel bis nach Italien und Südrussland. Solche Schalen dienten nicht nur als Tafelgeschirr, sondern auch als Bauschmuck an Kirchen in Griechenland und Italien. M.M.

Römer am Oberrhein

Klaus Heid (geb. 1958)
VIA. Velocitas – Interspiratio – Assensio, 2000
Stein, Holz

Klaus Heid schmuggelt sein Werk in die Reihe der historischen römischen Meilensteine ein. Er simuliert fiktiv und suggestiv eine archäologische Situation.

Nach dem Sieg Caesars im Gallischen Krieg (58–50 v. Chr.) erstreckte sich Roms Imperium in Nordwesteuropa von den Alpen bis zur Nordsee und vom Atlantik bis zum Rhein. In der römischen Kaiserzeit wurden neue Provinzen eingerichtet, so im Jahre 83 n. Chr. Obergermanien *(Germania superior)* mit der Hauptstadt Mainz *(Mogontiacum)*, die das Gebiet des heutigen Baden-Württemberg größtenteils mit einschloss. Vom freien Germanien war das Römische Reich durch den ca. 550 km langen Limes getrennt. Dort verrichteten sog. Hilfstruppen *(auxilia)* ihren Dienst. In der nun folgenden Friedensperiode übernahm die einheimische, keltisch-germanische Bevölkerung die zivilisatorischen Errungenschaften der römischen Kultur und eignete sich einen mediterran geprägten Lebensstil an. Man sprach und schrieb Lateinisch, erhielt das römische Bürgerrecht und lebte in städtischen und dorfartigen Ansiedlungen *(municipia, vici)*, in denen sich Handel, Handwerk und Gewerbe konzentrierten, oder auf ländlichen Einzelgehöften *(villae rusticae)*. Der hohe Lebensstandard lässt sich an den Überresten der Hauseinrichtungen, z.B. Fußbodenheizungen *(Hypokausten)*, Wandmalereien, an aufwendigen, den Göttern geweihten Inschriften und Bildwerken oder an alltäglichen Gebrauchsgegenständen wie Werkzeugen, Keramik- oder Glasgefäßen, Schmuck und Münzen ersehen. Zahlreiche ausgegrabene Exemplare sind in der Abteilung ›Römer am Oberrhein‹ zu besichtigen. S.E.

Statuette des Gottes Äskulap (Aesculapius)
Provinzialrömisch, aus Römerberg-Mechtersheim, 1. Jh.
Bronze, mit Silbereinlagen, H. 26 cm
Inv. Nr. C 504

Äskulap, der Gott der Heilkunst und Patron der Ärzte, hier nackt und als bartloser Jüngling wiedergegeben, führte in der angewinkelten Rechten sein charakteristisches Attribut, den heute verlorenen Schlangenstab. Er steht im sog. Kontrapost, dem für die klassisch-griechische Kunst kennzeichnenden, asymmetrischen Standmotiv mit einem den Körper tragenden Standbein und einem unbelastet abgestellten Spielbein. Der durch den geneigten Kopf, dessen Blick das Attribut fixiert, entstehende Eindruck der Versunkenheit veranschaulicht die Hingabe an die eigene göttliche Wesenhaftigkeit. Diese in die römische Kunst übernommenen Stilmerkmale der griechischen Klassik legen eine griechische Großplastik des 4. Jh. v. Chr. als Vorbild für die Statuette nahe. S.E.

Schälchen (Acetabulum) mit bacchischen Motiven
Provinzialrömisch, aus Stettfeld, 2./3. Jh.
Silber, Dm. 8,6 cm
Ohne Inv. Nr.

Einzigartig in Baden-Württemberg ist dieses aus dem Bereich des römischen Gräberfelds bei Stettfeld stammende Silberacetabulum (Saucenschälchen), das zu einem Geschirrset gehörte. Der Relieffries der Außenseite des technisch aufwendig gearbeiteten Gefäßes zeigt bacchische Motive: Zwischen mit Girlanden geschmückten Altären und Theatermasken des Weingottes Bacchus, eines Satyrs und von Mänaden aus seinem Gefolge befinden sich Tiere sowie tanzende und musizierende Eroten. Ein auf der Unterseite der Schale angebrachtes Sgraffito (Ritzinschrift) verrät uns den Namen des antiken Besitzers: Milo. S.E.

Relief aus einem Mithras-Heiligtum (Mithräum)
Provinzialrömisch, aus Osterburken, 1. Hälfte 3. Jh.
Buntsandstein, H. 170 cm
Inv. Nr. C 118

Römische Kaufleute und Militärs tragen ab dem 1. Jh. den Kult des Mithras, eines iranischen Lichtgottes, der auch mit dem römischen Sonnengott Sol identifiziert wird, in alle Provinzen des Reiches. Das in einem Heiligtum aufge-

stellte Relief zeigt Mithras, einen Jüngling in persischer Tracht, bei der Stiertötung. Diese symbolisiert in der mithrischen Glaubenslehre den Schöpfungsakt der Welt. Kleinformatige Szenen, in der Mitte die Versammlung der zwölf olympischen Gottheiten, seitlich Episoden aus der antiken Weltentstehungslegende und der mithrischen Mythologie, rahmen das Hauptbild. Weil es sich beim Mithraskult um eine ausschließlich Eingeweihten vorbehaltene Mysterienreligion handelt, verliert diese beliebte Glaubensrichtung in der Spätantike den Konkurrenzkampf mit dem Christentum, mit dem sie wesentliche Elemente, z.B. den Glauben an die Unsterblichkeit der Seele, einen sittlich-moralischen Verhaltenskodex und den Geburtstag des Gottes am 24. Dezember, gemeinsam hat. S.E.

Ornamentleiste (Fragment)
Provinzialrömisch,
aus Rheinfelden-Warmbach, 1. Jh.
Bronze, L. 53 cm
Inv. Nr. C 796

Ausschließlich ornamentalen Dekor – u.a. ein sog. lesbisches Kyma, einen Blattfries aus Palmetten und Akanthusblättern mit Lotosblüten – weist ein 3 mm dickes Bronzerelief auf, das entweder zu einer Statuenbasis gehörte oder, wahrscheinlicher, als Zier-

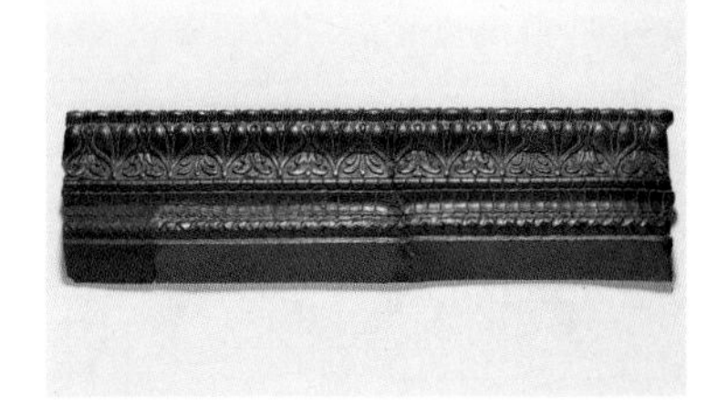

leiste einer Türeinfassung diente. Die außerordentliche Qualität und prachtvolle Ausgestaltung der aus der griechischen Bauornamentik stammenden Schmuckmotive lassen ein bedeutendes öffentliches Bauwerk, vielleicht einen Tempel, als Herkunftsort vermuten. S.E.

Grabstein mit Inschrift

Provinzialrömisch, aus Rheinheim-Dangstetten (Küssaberg), 1. Jh.
Kalkstein, H. 178 cm
Ohne Inv. Nr.

Zu den ältesten römischen Grabdenkmälern Baden-Württembergs gehört dieser in einem spätrömischen Brückenkopfkastell sekundär vermauerte Grabstein. Ursprünglich war er wohl an der Gräberstraße der – unweit des Fundortes Rheinheim gelegenen – römischen Siedlung Tenedo (Zurzach) aufgestellt. Die von einem Rundbogen mit Rosette bekrönte Inschrift überliefert uns die Namen der Grabinhaber: des aus Italien hierher immigrierten Freigelassenen Lucius Ferridius Felix und seines Sklaven Modestus, der im Alter von 18 Jahren verstarb und dem keltischen Stamm der Treverer angehörte. S.E.

Weiherelief mit keltischen Unterweltsgottheiten

Provinzialrömisch, aus Karlsruhe-Grünwinkel, 2./3. Jh.
Buntsandstein, H. 85 cm
Inv. Nr. C 11147

Weihegaben, sog. Votive, dienten in der Antike dazu, den Göttern Dank für eine erwiesene Wohltat zu bezeugen. Auf diesem Weiherelief aus Karlsruhe sind zwei keltische Unterweltsgottheiten zu sehen: der vielfach mit dem römischen Schmiedegott Vulcanus gleichgesetzte Sucellus, dessen Attribut ein langstieliger Schmiedehammer ist, und seine auch Fruchtbarkeitsaspekte verkörpernde Gefährtin Nantosuelta mit einem Fruchtkorb. Das Denkmal bezeugt die Langlebigkeit des einheimisch-keltischen Volksglaubens, dessen Götter neben denen des römischen Pantheons weiter verehrt wurden. S.E.

Leugensteine

Provinzialrömisch, aus Remchingen-Nöttingen, Sinzheim und Heidelberg, 1. Hälfte 3. Jh.

Buntsandstein, H. 107 cm; 199 cm; 235 cm

Inv. Nr. C 76, C 70, C 298

Eine entwickelte Infrastruktur war die Voraussetzung für die militärische Eroberung sowie die politische und kulturelle Durchdringung der germanischen Provinzen. An jeder öffentlichen Straße des gut ausgebauten römischen Straßennetzes standen hohe, säulenförmige Meilen- oder Leugensteine – die Leuge ist das ab dem 3. Jh. übliche gallische Längenmaß von ca. 2,2 km –, welche die Entfernung zum Hauptort des jeweiligen Gebietes angaben. Diese Denkmäler sind dem regierenden Kaiser geweiht und nennen in der Inschrift dessen Namen und vollständige Titulatur. Auf einem dem Kaiser Elagabal (218– 222) gewidmeten Leugenstein, der 4 Leugen von Ladenburg (Lopodunum) zählt, wurde dessen Namenszug getilgt, nachdem er zum Staatsfeind erklärt und der ›damnatio memoriae‹, der per Senatsbeschluss erfolgten ›Vernichtung des Andenkens‹ anheim gefallen war. S.E.

Keller eines römischen Gutshofes (villa rustica)

Provinzialrömisch, aus Walzbachtal-Wössingen, 2./3. Jh.

Sandsteinmauerwerk (Schalenmauerwerk mit Kalkmörtel- und Bruchstein-Füllung), L. 585 cm, B. 415 cm

Ohne Inv. Nr.

Eine Besonderheit der provinzialrömischen Sammlung stellt der Keller eines römischen Gutshofes aus Wössingen dar. Der 1966 entdeckte Kellerraum wurde am Fundort in sieben gewaltige, tonnenschwere Blöcke zerlegt und im Museum erneut zusammengefügt. So war es möglich, das originale Mauerwerk zu erhalten. Die Wand ist durch

Rundbogennischen, die mit Steinkeilen überwölbt sind und möglicherweise zum Einstellen von Götterbildern gedacht waren, sowie schräge Licht- und Luftschächte gegliedert und besitzt einen Kalkmörtelverputz mit rot ausgemaltem Fugenstrich. S.E.

Terra Sigillata

Provinzialrömisch, aus Rheinzabern, 2./3. Jh.

Verschiedene Maße

Verschiedene Inv. Nrn.

Der moderne Begriff ›Terra Sigillata‹ bezeichnet jene qualitätsvolle, als Tafelgeschirr verwendete Keramik der römischen Kaiserzeit, die sich durch eine rotglänzende Oberfläche auszeichnet. Neben glatter gibt es mit ornamentalen und figürlichen Reliefs verzierte Ware. Zahlreiche der seriell in spezialisierten Manufakturen produzierten und in Form und Größe standardisierten Gefäße tragen Namensstempel ihrer Hersteller. Diese geben Auskunft über Herkunfts- und Verbreitungsgebiete und somit über antike Handelsbeziehungen. Das wichtigste Produktionszen-trum in Obergermanien ist Tabernae (Rheinzabern), für das eine Jahresleistung von etwa einer Million Gefäßen errechnet wurde. S.E.

Frühes und hohes Mittelalter

Merowinger, Karolinger, Hochmittelalter

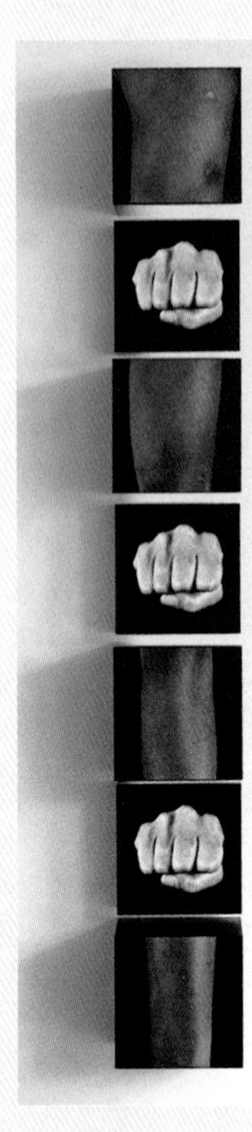

Sinje Dillenkofer
(geb. 1959)
Eingriffe IV, 1992/2000
Fotoobjekt, 7-teilig,
Unikat
Barytfoto kaschiert, in
spezial MDF lackierten
Rahmen eingelassen

Faust und Schienbein lenken den Blick auf Zeiten elementarer Gewalt, als ganze Völker sich kriegerisch bekämpfend neuen Siedlungsraum suchten.

Nach dem erzwungenen Rückzug des Römischen Imperiums von der vorgeschobenen Position des Limes an den Rhein kurz nach der Mitte des 3. Jahrhunderts entstand mit dem Einrücken germanischer Stämme – vor allem die Alemannen sind zu nennen – eine Situation, die für den weiteren Verlauf der mitteleuropäischen Geschichte entscheidend werden sollte. Trotz aller Schwäche war der zivilisatorische Vorsprung der Römer links des Rheines weiterhin gegeben, und es ist kein Zufall, dass die auf Reichsboden angesiedelten Franken, die alten Strukturen geschickt nützend, die Vorherrschaft über viele andere germanische Völker ab der 2. Hälfte des 5. Jahrhunderts gewannen.

Unter den zahlreichen Fundstücken der sogenannten Reihengräberfelder begegnen etwa ab 600 auch Zeugnisse des frühen Christentums. Die stetig wachsende Symbiose von staatlicher und kirchlicher Welt blieb bis weit über das Ende des Mittelalters bestehen. Klöster tradierten große Teile der antiken Bildung und wurden zu Zentren der Wissenschaft, des Kunsthandwerks, der Architektur, der Entwicklung des Acker- und Gartenbaues usw. Die Rechtsprechung stand dagegen weitgehend in der germanischen Überlieferung, wie auch der Aufbau der Gesellschaft germanischen Traditionen entsprechend feudal blieb: Bauern, Geistliche und Adlige bildeten die deutlich unterschiedenen Stände. B.-H.S. / K.E.

Kamm

Graben-Neudorf, Frühmerowingisch, Ende 5. Jh.
Bein mit Eisennieten, L. 16,2 cm
Inv. Nr. Gra 97/3

Mehrere hochrechteckige Platten aus Knochen oder Geweih wurden vom Kammmacher beidseitig durch langschmale Lamellen und metallene Nieten zusammengefügt. Bei doppelreihigen Kämmen sägte man nun von beiden Seiten die unterschiedlich breite Zähnung. Die Verzierung, die Schraffen der Lamellen sowie die Gestaltung der äußeren Schmalseiten war schon zuvor angebracht worden. An den Schmalseiten zeigen sich je zwei voneinander abgewendete Tierköpfe, bei welchen die runden Augen und die aufgerissenen Mäuler besonders auffallen. K.E.

Schwertoberteil

Altlußheim, Völkerwanderungszeitlich, Mitte 5. Jh.
Eisen, Bronze, Gold und Almandine, B. der Panierstange 10,9 cm
Inv. Nr. C 11 401 a

Das nur fragmentarisch erhaltene eiserne Langschwert (Spatha) war einst kostbar ausgestattet. In einem Zell-

werk aus goldenen Stegen der rechteckigen Parierstange sitzen sorgfältig zugeschliffene rote Almandine, eine Art von Granaten, wie sie in der erforderlichen Größe nur in Indien vorkommen. Der Schliff der Edelsteine könnte in Konstantinopel erfolgt sein. Auftraggeber und auf welchen Wegen das Schwert an den Rhein gelangte, sind ungewiss. Möglicherweise war das Schwert Eigentum eines Großen des Burgunderreiches. K.E.

Bügelfibel

Klepsau, Merowingisch, Ende 6. Jh.
Silber, Vergoldung, Almandine, L. 11,3 cm
Inv. Nr. 67/85 b

Die großen Gewandspangen können in der germanischen Frauentracht des 6. Jahrhunderts als Standesabzeichen gelten. Sie wurden an der Körpervorderseite unterhalb der Hüfte oder in Höhe der Oberschenkel getragen und dienten zur Repräsentation. Bei den Ornamenten handelt es sich um eine Verzierung im so genannten germanischen Tierstil. In ihm werden Tiere oder Teile von ihnen in stark vereinfachter Form linear wiedergegeben. Die Fibel zählt zu den ganz wenigen hervorragenden Erzeugnissen einer Werkstatt im ostfränkisch-alamannischen Raum. K.E.

Sturzbecher
Klepsau, Merowingisch,
Ende 6. Jh.
Glas, H. 11,6 cm
Inv. Nr. 67/85

Der als Grabbeigabe in einem Tongefäß gefundene, unversehrt erhaltene Glasbecher ohne Standboden gehört zu einer kleinen qualitätsvollen Becherformgruppe, die vermutlich in Nordfrankreich, im Bereich der Flüsse Somme und Aisne hergestellt wurde. Der abgerundete Rand, die aus der Gefäßwand herausgezogenen Warzen, der in einem Tropfen endende Boden und die in die Gefäßwand eingeschmolzenen weißen Fäden zeugen von beachtlichem Können des Glasmachers. K.E.

Zierscheiben (Phaleren)
Hüfingen, Merowingisch,
um 600
Silberblech, Dm. 11 cm
Inv. Nr. 73/171 a, b

Die Schmuckscheiben oder Phaleren waren Teil der Pferdeschirrung. Nach antikem Brauch trug der Reiter die militärischen Auszeichnungen nicht selbst, sondern schmückte damit die Pferdebrust. Entsprechend zeigt auch das Pferd des die Schlange mit Menschenkopf tötenden Reiterheiligen auf der rechten Brustseite eine solche Phalera. Die thronende Maria mit Jesuskind – wohl eine der ältesten Darstellungen nördlich der Alpen – auf der zweiten Scheibe bleibt bislang singulär. Beide Motive entstammen einem antiken Formenschatz und wurden frühchristlichen Vorstellungen angepasst. K.E.

Rundfibel
Berghausen, Spätmerowingisch,
Ende 7. Jh.
Silberblech und Bronze, Dm. 4,5 cm
Inv. Nr. Ber 185

In der Zeit um 600 ändert sich bei den Alamannen und Franken die Frauentracht. Statt bis zu vier Gewandspangen wird im 7. Jahrhundert aufgrund einer Materialverknappung nur noch eine einzige, meist runde Fibel am Oberkörper zum Verschließen eines Gewandes getragen. Die Darstellung zweier Vögel am Lebensbaum geht auf traditionelle Bildvorstellungen zurück, die dem Alten Orient entstammen. Der Baum im Paradies versinnbildlicht in christlicher Zeit das ewige Leben. An ihm ernähren sich die Seelen in Gestalt von Vögeln, Tauben oder Pfauen. Das Motiv wurde in dünnem Blech geprägt und gepunzt. K.E.

Solidus
Marseille, 656–662
Blassgold, Dm. 2,2 cm
Inv. Nr. 71/129

Dieser Solidus ist ein Zeugnis des ersten Griffes der Dynastie der Karolinger nach der Macht. Der karolingische Hausmeier Grimoald hatte den zunächst kinderlosen merowingischen König Sigibert III. (633–656) überredet, seinen Sohn zu adoptieren. Nach Sigiberts Tod herrschte dieser dann bis 662 unter dem merowingischen Königsnamen Childebert über Austrien. Die Geschichtsschreibung nennt ihn heute Childebert den Adoptierten. Nach einer Invasion des Königs von Neustrien wurden Vater und Sohn in Paris hingerichtet. Die Goldmünze zeigt den König in etwas ungelenkter Darstellung im Ornat eines spätantiken Herrschers. Seine Büste ist umgeben von der Angabe der Münzstätte: »MASILIA«, sein Name erscheint auf der Rückseite. Das Stück wurde 1936 in einem Grab in Bermersheim bei Alzey in Rheinhessen gefunden. P.-H. M

Denar Ludwigs des Frommen
Straßburg, um 819–825
Silber, Dm. 2,0 cm
Inv. Nr. 73/143

Im Gegensatz zu den meisten Münzen Ludwigs des Frommen (814–840), die ihren Prägeort nicht nennen, trägt dieser seltene Denar in großen, wenn auch ungelenken Buchstaben die Aufschrift »STRATBVRGVS«. Bemerkenswert ist dabei die frühe Verwendung der germanischen Namensform, da die Stadt im Mittelalter offiziell meist lateinisch Argentorate oder Argentina genannt wurde. P.-H. M.

Himmelfahrt Christi

Lothringen (Metz?), 2. Hälfte 9. Jh.
Elfenbein mit Farbresten,
H. 16,5 cm, B. 8,1 cm
Inv. Nr. 95/826

Nach antikem Vorbild wurden in karolingischer Zeit für den Schmuck kostbarer kirchlicher Handschriften Elfenbeinreliefs angefertigt, die in Buchdeckeln aus Edelmetall eingesetzt wurden. Letztere wurden im Lauf der Jahrhunderte meist eingeschmolzen, so dass der Zusammenhang von Buch und Schmuck verloren ist. Das Himmelfahrt-Relief zeigt in seiner Figurenbehandlung große Ähnlichkeiten mit der so genannten Cathedra Petri, einem Elfenbeinthron, den Kaiser Karl der Kahle vor 877 dem Papst geschenkt hat. B.H.-S.

Tympanon vom Portal der Klosterkirche Petershausen
Architekt (opifex) Wezilo
Konstanz (Petershausen), 1173/1180
Molasse-Sandstein, H. 190 cm,
B. ca. 290 cm
Inv. Nr. C 158 e, f

Das 983 gegründete Kloster in Petershausen schloss sich der Hirsauer Reform an und kam so in Kontakt mit dem französischen Kloster Cluny. Diese Verbindungen erklären das Auftreten dieses frühesten Gewändefigurenportals in Deutschland und ebenfalls den Tympanon mit sehr hohem Türsturz, wie er sonst nur in Italien und Frankreich zu finden ist. Die Szene der Himmelfahrt verteilt sich auf das Bogenfeld mit dem von Engeln umgebenen Christus und den Türsturz, von dem die Apostel und Maria aufschauen. Die Inschriften erinnern den Gläubigen an die Wiederkunft Christi und das Jüngste Gericht. Ungewöhnlich für diese Zeit – im Reliefgrund neben Maria der Name des Werkmeisters »Wezil«. B.H.-S.

Doppelkapitell mit Tierkreiszeichen und Monatsbildern
Schwarzach, um 1200/1230
Roter Sandstein, H. 26,5 cm,
B. 55 cm, T. 23,7 cm
Inv. Nr. C 93

Die sieben Monatsbilder samt Tierkreiszeichen sind auf dem Kapitell zeichenhaft verkürzt und ineinander verschachtelt dargestellt: Ein Mann, der den Boden umgräbt, und ein Widder stehen für den Monat April. Ein junger Mann mit einem Korb mit Blättern sowie einem Büschel von Blattzweigen ist der ›Maikönig‹, zu seinen Füßen der Stier. Zwei sich umarmende Jünglinge (Zwillinge) und ein Schnitter stehen für den Juni. Das Kapitell schmückte einst den Kreuzgang der Benediktinerabtei Schwarzach. B.H.-S.

Flucht nach Ägypten
Elsässisch, um 1260/1270
Hüttengläser, Bleiruten, Dm. 46 cm
Inv. Nr. C 6579

Die spätromanische Scheibe stammt, wie drei andere der gleichen Serie, vermutlich aus den Obergadenfenstern des westlichen Langhauses der Abteikirche Peter und Paul in Neuweiler bei Baden-Baden. Der Zyklus mit Szenen aus der Kindheit Jesu zeigt die Verkündigung an die Hirten, die Darstellung im Tempel, die Flucht nach Ägypten und Christus vor den Schriftgelehrten. B.H.-S.

Weihwassereimer
Rheinisch-westfälisch, 11./12. Jh.
Bronze, H. 19,5 cm, Dm. 19,8 cm
Inv. Nr. 65/62

Das Maasgebiet und der rheinisch-westfälische Raum waren im Mittelalter das Zentrum des Bronzegusses. Geräte für den profanen Gebrauch wie für die Liturgie wurden hier geschaffen. Drei Reifen mit gemeißelten Rankenbändern mit Rosettenblüten und Blattwerk im Wechsel zieren das schlichte, konische Gefäß. In den zwei ›Köpfen‹ war ein Henkel eingepasst. R.W.S.

Johannes der Täufer
Werkstatt von Meister Heinrich
Konstanz, um 1300, Zweitfassung um 1500, Eichenholz, H. 183 cm
Inv. Nr. L 10 (Leihgabe des Musée des Arts décoratifs, Paris)

Die große, hagere Gestalt Johannes des Täufers stammt mit großer Wahrscheinlichkeit aus dem Kloster Katharinenthal (Kanton Thurgau). In diesem Dominikanerinnenkloster wurden die beiden Johannes besonders verehrt; sicher stammt von dort eine Gruppe von Meister Heinrichs eigener Hand, die den Evangelisten Johannes an der Brust des Herrn darstellt (heute Antwerpen, Museum Mayer van den Bergh). Der Kopf mit den christusähnlichen Zügen, der schmalschultrige Körper und die wenigen, stark vortretenden Falten des einfachen Mantels lassen deutlich das hohe künstlerische Niveau des Konstanzer Meisters erkennen. B.H.-S.

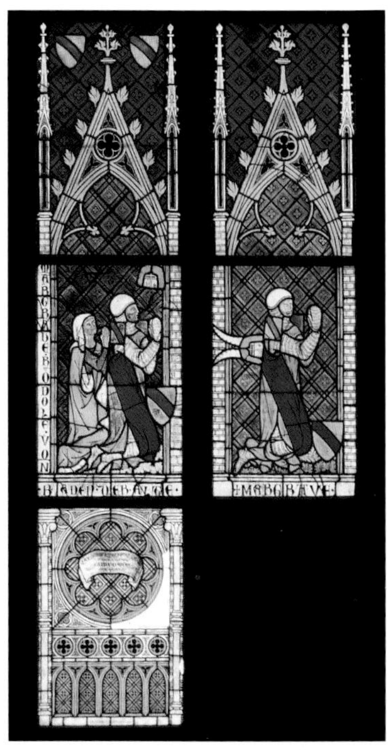

Stifterbilder aus Kloster Lichtenthal
Straßburg, um 1300 und
Firma Helmle, Freiburg, 1851
Farbige Gläser, Schwarzlot, Verbleiung, H. 240 cm
Inv. Nr. 95/919

Diese Glasgemälde sind die ältesten bildlichen Zeugnisse der Markgrafen von Baden und zugleich eines der frühesten Beispiele für eine Reihung von Stiftern, die auf ein gemeinsames Zentrum ausgerichtet waren. Da die Farbfenster schon im 16. Jahrhundert ausgebaut wurden, ist nicht mehr festzustellen, ob der Sohn Rudolph II. von Baden oder die Eltern Rudolf I. von Baden und Kunigunde von Eberstein an vorderer Stelle kniend dargestellt wurden. 1851 wurden die Fenster ergänzt und im so genannten Küchenbau des Neuen Schlosses in Baden-Baden eingebaut. B.H.-S.

Deckel vom Sarkophag eines Märtyrers, vielleicht des hl. Landolin
Oberrhein, 1. Viertel 14. Jh.
Roter Sandstein, L. 158 cm
Inv. Nr. C 132

Ein Engel krönt den erdolchten, nackten Mann, Frauen betrauern ihn und versuchen, ihn in ein Leichentuch zu hüllen. Sie werden von Engeln unterstützt. Ein weiterer Engel schwingt ein Weihrauchfass. Zugleich wird auf das Martyrium des Heiligen hingewiesen: Ein heute kopfloser Mann erdolcht ihn, ein zweiter verletzt ihn am Bein. B.H.-S.

Thronende Madonna mit Kind
Spanien, Ende 12. Jh.
Nussbaumholz mit späterer mittelalterlicher Fassung, H. 61,5 cm
Inv. Nr. 64/140

›Sedes Sapientiae‹, Sitz der Weisheit (Gottes), pflegt man diesen Typ von Marienfiguren zu nennen. Seine Aufgabe scheint zu sein, als personifizierter Thron für den Christusknaben zu wirken. Dieser wiederum stützt sich auf zwei Tafeln mit den Zehn Geboten, die er vollständig erfüllen wird. B.H.-S.

Spätmittelalter

Das späte Mittelalter steht im Zeichen der erstarkenden Städte, die Bürger gewannen zunehmend Einfluss: zuerst das Patriziat, später auch, besonders in Süddeutschland, der ›einfache‹ Handwerker-Bürger. Immer spezialisiertere Handwerker schlossen sich in Zünften zusammen, die – meist in der Folge von Aufständen – in den Städten zunehmend Einfluss auf das Stadtregiment gewannen. Die Zünfte setzten sich nicht nur für die wirtschaftlichen Belange ihrer Mitglieder ein und versuchten sie gerecht zu regeln, sie übernahmen auch soziale und karitative Aufgaben.
Die Zahl von Stiftungen zugunsten des Seelenheils stieg beträchtlich. Oft wurden Arme, Kranke oder Spitäler, die sie versorgten, bedacht. Messstiftungen waren häufig mit kostbarer Kirchenausstattung verbunden wie Altarbilder, Skulpturen, liturgisches Gerät oder Glasgemälde. Wachsender Wohlstand brachte eine langsame Verbesserung des Lebensstandards mit sich: Hölzerne und tönerne Koch- und Essgefäße wurden durch Metall und Glas ergänzt. Die zunehmende Verschriftlichung ist untrennbar verbunden mit anderen Veränderungen im ausgehenden Mittelalter: Die Straffung der Verwaltung und die Einführung des römischen Rechts boten gebildeten Bürgern Aufstiegschancen. Die Einrichtung von Schulen und Universitäten hob das Bildungsniveau und sorgte u.a. für kompetente Beamte. Die humanistischen Studien mit vertiefter Kenntnis von Latein und Griechisch, aber auch Naturbeobachtung und technische Erfindungen kennzeichnen so den langsamen Übergang zu einer neuen Epoche, der Renaissance. B. H.-S.

Raffael Rheinsberg
(geb. 1943)
Peter und Paul, 1988
Farbig gefasstes Holz

Aus den zwei Fundstücken eines brasilianischen Holzbootes gestaltet Rheinsberg eine figurative Form, die an mittelalterliche Zweiergruppen wie Christus/Thomas oder Peter/Paul erinnert.

Christus-Johannes-Gruppe (Fragment)
Konstanz, um 1310/20
Birnbaumholz, mit Spuren von
3 Fassungen, H. 18,7 cm
Inv. Nr. 80/26

Die besondere Art der Frömmigkeit in schwäbisch-alemannischen Frauenklöstern ließ die Nonnen an diesem Darstellungstyp Gefallen finden, der in sich die Erinnerung an das Abendmahl, die Hochzeit von Kanaan und an das himmlische Brautpaar des Hohen Liedes vereint. Die ›Unio mystica‹ ist hier vor Augen gestellt, das völlige Einssein der Seele mit Gott, das Ziel des Strebens der Nonnen. B.H.-S.

Vesperbild
Oberrhein (?), 3. Viertel 14. Jh.
Pappelholz, Reste alter Fassung,
H. 97 cm
Inv. Nr. 56/2

Seit dem Aufkommen der christlichen Mystik im 13. Jahrhundert und der damit erstrebten Verinnerlichung des

Glaubens fand diese Bildfindung Verbreitung. Die Bezeichnung Vesperbild greift die Zeit zum Vespergebet auf, zu der in der Liturgie des Karfreitags an die Klage der Mutter über den toten Sohn erinnert wurde. Doch beschränkt sich der Bildgehalt nicht darauf: der ›Leib des Herrn‹ verweist nachdrücklich auf den Opfertod Christi und damit auf die Erlösung der Gläubigen. B.H.-S.

Christus-Johannes-Gruppe
Oberrhein, um 1420/30
Nussbaumholz, originale Fassung
mit Metallauflage, H. 53,7 cm
Inv. Nr. C 6448

Johannes, der Lieblingsjünger Jesu, genoss in Frauenklöstern besondere Verehrung. Durch die Nonne am Sockel des Thrones ist die heute unbekannte

Stifterin dargestellt. Nach dem Evangelium ruhte beim Abendmahl Johannes an der Brust des Herrn. Dabei sollen ihm himmlische Geheimnisse enthüllt worden sein. So wurde er zum Vorbild der ›vita contemplativa‹, dem Lebensideal der Frauenklöster, bei dem Gebet und Betrachtung den Tageslauf bestimmten. B.H.-S.

Schrank

Südwestdeutsch, datiert 1449
Ahorn, Linde, Tanne, teilweise gefasst, H. 267 cm, B. 193 cm, T. 55 cm
Inv. Nr. C 3416

An diesem Schrank, dem frühesten erhaltenen Exemplar dieser Art, lässt sich die Herkunft dieses Möbeltyps aus der Truhe als ursprünglichem Behältnismöbel noch gut erkennen. Er besteht hauptsächlich aus zwei Truhenelementen mit Türen, die um Sockel, Gürtelgesims und Abschlussgesims mit Zinnenkranz erweitert sind. Die beiden Truhenteile sind an den Schmalseiten mit eisernen Griffen versehen, können also bei Bedarf relativ leicht transportiert werden. Um die durchbrochen gearbeiteten Rosetten des Kranzgesimses ist ein Schriftband geschlungen, auf dem der Meister selbstbewusst sein Arbeitsethos kundgibt: »mit gantzen trewen

han ich das werck gebauwen bedenck das ende ist das end gut«. An der linken Schmalseite ist in schwarzer Tusche die Jahreszahl »anno domini MCCCXLIX« aufgemalt. Bis 1876 stand der Schrank in der Sakristei von Wertheim, wo er durch Feuchtigkeit gelitten hatte und sich in sehr schlechtem Zustand befand. Von der ursprünglichen Bemalung haben sich nur Reste erhalten. Da auch die Wappen auf den Schilden verloren sind, lassen sich die Stifter oder früheren Besitzer nicht mehr feststellen. P.S.

Marientabernakel
›Turris Eburnea‹
Nördliche Niederlande (Utrecht?), Mitte 15. Jh.
Elfenbein mit Teilfassung, Holz, Horn, Beschläge, H. 71,8 cm
Inv. Nr. 95/879

So unscheinbar der Turm mit seinem grün-schwarz-weißen geometrischen Muster von außen auch wirken mag, so reich ist seine innere Ausstattung. Zwanzig Reliefs mit Szenen aus dem Marienleben und achtzehn musizierende Engel schmücken die Rückwand und die Flügel des schreinartigen Gebildes. Vergoldung und Farbfassung verlebendigen die Szenen. Ein hölzerner Turmhelm mit Krabben und mit farbigem Papier unterlegtem Maßwerk dient als Bekrönung. B.H.-S.

Geburt Christi
Oberrhein, um 1450/60
Nussbaum- und Weichholz, Übermalung des 19. Jh., H. 27,5 cm
Inv. Nr. 65/16

Das spätgotische Weihnachtsbild löst den älteren Typus mit Maria im Wochenbett ab und übernimmt Elemente aus den Offenbarungen der hl. Brigitta, die dieser während ihrer Pilgerreise ins Heilige Land um das Jahr 1370 zuteil wurden. Danach hatte Maria vor der Niederkunft Schuhe, Mantel und Schleier abgelegt, so dass ihr wundervolles goldenes Haar herabfiel. Durch ein Wunder lag dann plötzlich das Kind vor ihr. Vermutlich befand sich dieses Relief ursprünglich in einem kleinen Altärchen. B.H.-S.

Kaselstab (Detail: Joachim erscheint der Engel)
Entwurf in der Nachfolge
Rogiers van der Weyden
Südliche Niederlande, um 1460/80
Metall- und Seidenstickerei auf
Leinengrund, H. 106,6 cm
Inv. Nr. 68/25

Der Ausschnitt zeigt Joachim, der ob seiner Kinderlosigkeit im Tempel verspottet worden war und der zu seiner Herde geflohen war. Nun bringt ihm ein Engel die Botschaft, dass seine Frau ihm doch ein Kind schenken werde. Es ist ein Detail von einem von acht Stäben, die ehemals zusammengehörige liturgische Gewänder (eine so genannte ›Kapelle‹) zierten. Sie schildern teils das Marienleben und die Kindheit Christi, teils die Geschichten Johannes des Täufers und Johannes des Evangelisten. B.H.-S.

Altarkreuz von St. Stephan
Oberrhein (Straßburg ?), um 1470
Silber, teilvergoldet, Reste von
Steinbesatz, Perlen, Email, H. 102 cm
Inv. Nr. L 1 (Dauerleihgabe des Katholischen Stadtpfarramtes St. Stephan, Karlsruhe)

Dieses größte erhaltene Altarkreuz aus der deutschen Spätgotik ist von unterschiedlichen stilistischen Merkmalen geprägt. Der Corpus Christi steht in enger Verwandtschaft mit dem Baden-Badener Steinkreuz des Nikolaus Gerhardt von 1467, während die an den Kreuzarmen befindlichen Brustbilder von David, Moses und der Propheten Isaias und Zacharias der Stilstufe um Konrad Witz zuzurechnen sind. Der plastisch bewegten Vorderansicht steht eine mit Blattwerk grafisch behandelte Rückseite entgegen. Im Zuge der Säkularisation gelangte das Kreuz in die erste katholische Kirche Karlsruhes. R.W.S.

Wappenscheibe der Familie Uttenheim
Lautenbacher Meister
Straßburg, um 1480
Farbige Gläser, Schwarzlot, Silbergelb, Verbleiung, Dm. 38 cm
Inv. Nr. 95/950

Die Rundscheibe stellt eines der frühesten erhaltenen Exemplare jener Wappenscheiben dar, die im 16. Jahrhundert die monumentale Glasmalerei ablöste. Die miniaturhaft feine Zeichnung und die Komposition von Wappen und Wappenhalterin gehören technisch und künstlerisch zu den Höchstleistungen auf dem Gebiet der Kabinettscheiben. B.H.-S.

Simson im Festsaal der Philister
Umkreis Nikolaus Gerhardt von Leyden
Oberrhein, um 1480
Sandstein, H. 79 cm
Inv. Nr. C 99

Leere Augenhöhlen und kräftiges Haar kennzeichnen den Dargestellten als Simson. Dass er hier mehr an der Säule lehnt, als sie einzureißen, wie es der

Bibeltext erwarten lässt, ist in der mittelalterlichen Theologie begründet: Sie sah in ihm einen Vorläufer Christi, der an der Geißelsäule verspottet wurde. Simson wurde von Dalilah seiner Kraft beraubt und verspottet – trotzdem tötete er viele der Philister, die Feinde Israels. Mit großer Wahrscheinlichkeit schmückte diese Figur einst eine Kanzel, vielleicht in Baden-Baden. B.H.-S.

Madonna aus Leiselheim
Oberrhein, um 1490
Lindenholz, Reste originaler Fassung, H. 138 cm
Inv. Nr. C 6078

Der Typus der großen, repräsentativen, spätgotischen Madonna ist hier auf reizvolle Weise ins Intime abgewandelt. Während sich die Mutter mit einem Ausdruck der Wehmut dem Kind zuneigt, greift dieses spielerisch nach ihrem langen Haar. Der dreischalige Aufbau der Figur aus Kleid, reich drapiertem Stoffgewand und üppig wallendem Haarmantel ist ebenso wie das emporgehobene, lebhaft bewegte nackte Kind charakteristisch für eine Typenreihe spätgotischer oberrheinischer Madonnen aus dem letzten Drittel des 15. Jahrhunderts. B.H.-S.

Groschenklippe
Freiburg im Breisgau, 1499
Silber, H. 3,3 cm, B. 3,2 cm
Inv. Nr. I. 45b.51

Auf gotischem Stuhl sitzt die Madonna und reicht dem Kind einen Apfel. Darum in gotischer Schrift der Gruß: »AVE MARIA GRACIA P(lena)«. Ende des 15. Jahrhunderts wurde der Bedarf an höher wertigen Geldstücken bei den Partnern des Rappenmünzbundes (Vorderösterreich, Basel, Breisach, Colmar und Freiburg) immer dringender, so dass nach dem Vertrag von 1498 u. a. auch Groschen im Wert von zwei Plapparten geprägt wurden. Eckige Abschläge der Münzstempel (Klippen) mit höherem Gewicht wurden auch in späteren Zeiten zu Repräsentations- und Geschenkzwecken hergestellt. P.-H. M.

Pietà
Michel Erhardt
(ab 1469 in Ulm nachweisbar, gest. nach 1522)
Ulm, um 1500
Laub- und Weichholz, Original- und Zweitfassung, H. 60,5 cm
Inv. Nr. 95/868

Im Gegensatz zum Pietà-Typ des hohen Mittelalters, bei dem die thronende Madonna den toten Sohn auf dem Schoß hält, zeigt Michel Erhardts Pietà jenen wohl auf Straßburger Arbeiten zurückzuführenden neuen Typ, bei dem Maria auf dem Boden kniet und den Oberkörper Christi mit ihrem aufgestellten rechten Bein stützt. So kann sie sich ihrem Sohn voller Mitleiden zuwenden und dessen Wundmale den Gläubigen präsentieren. B.H.-S.

Marienaltar aus Salem
Bernhard Strigel (1460–1528)
Memmingen, 1507/08
Altarflügel und Predella: Nadelholz, Temperafarbe; Rückwand und Figuren des Altarschreins wohl aus Lindenholz mit originaler Fassung, H. 229 cm (Altarschrein), H. 61,5 cm (Predella)
Inv. Nr. C 3795 und 95/1361

Der Marienaltar in Salem gehört zu den wenigen mittelalterlichen Altären, bei denen Künstler, Auftrags- und Lieferdatum, Aufstellungsort und Preis bekannt sind: Für 150 Gulden und sechs Fuder Wein lieferte Strigel 1508 sein Werk ab. An Werktagen zeigen die Außenseiten der Flügel die Verkündigungsszene sowie die Heimsu-

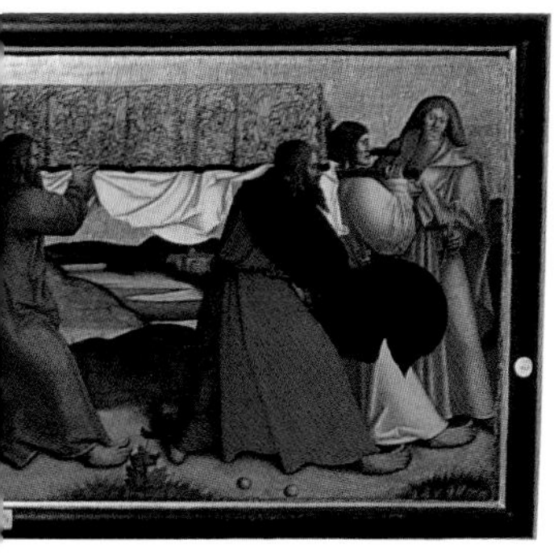

chung und darunter, auf der Predella, die Grabtragung Mariens. Der einst nur an Festtagen geöffnete Altar glänzt mit einem geschnitzten und vergoldeten Mittelbild mit den zwölf Aposteln und Maria. Bedeutsam sind die beiden Innenflügel. Der linke Flügel mit der Geburt Christi gilt als das erste Nachtbild der deutschen Tafelmalerei: Die

Lichtführung geht vom Christkind aus und beleuchtet nur bestimmte Bereiche eines imaginär wirkenden Raumes. Von den Heiligen Drei Königen des rechten Flügels fällt in der Mitte des Bildes ein besonders reich gekleideter auf, der die Züge Kaiser Maximilians I. trägt. Seine Präsenz steht im Zusammenhang mit der Erteilung der Reichsunmittelbarkeit an das Salemer Zisterzienserkloster 1495. In der wechselhaften Geschichte des Altars wurde er geteilt und erfuhr weitere Veränderungen; erst 1995 konnte der Schrein mit der Predella und den Altarflügeln wieder zusammengeführt werden B.H.-S.

Trinkhorn

Straßburg (?), um 1400

Wisent- oder Auerochshorn, Silber, vergoldet, Email, H. 24 cm

Inv. Nr. 95/825

Im 14. und 15. Jahrhundert tauchen vermehrt Trinkhörner oder so genannte ›Greifenklauen‹ auf. Das mit Eichenblättern und Schnüren gefasste Horn wird von einem Jüngling in der Tracht um 1400 getragen. An dem später hinzugefügten Schleifenband hängen das Wappen der Straßburger Patrizierfamilie Lumbert sowie zwei Glöckchen. Ein silberner Greif bekrönte einst die Spitze. Das Horn wird bereits 1686 in einem Inventar der Silberkammer der Karlsburg zu Durlach erwähnt. R.W.S.

Hanap

Südniederländisch (?), 1405–19

Silber, vergoldet, H. 23,7 cm

Inv. Nr. 65/63

Der aus zwei abgeflachten Doppelschalen bestehende Pokal repräsentiert einen Typus des ›Weichen Stils‹.

Auf seiner gesamten Oberfläche ist er mit feiner, kaum wahrnehmbarer Punktpunzierung in Form von Hopfenranken und einem Hobel überzogen. Beide Motive sind Bestandteile von Emblem (ab 1392) und Devise (ab 1405) des burgundischen Herzogs Jean sans Peur. R.W.S.

Kochgeschirr
Heidelberg oder Umgebung, vom Heidelberger ›Kornmarkt‹, 15. Jh.
Ton, Pfanne innen glasiert, H. 19,2 cm, 18,3 cm und 9 cm
Inv. Nr. D 111, 112 u. 125

Aus den mittelalterlichen Schichten der Kornmarktgrabung in Heidelberg stammt zahlreiches Kochgeschirr. Bei den hohen Gefäßen handelt es sich um Vielzweckgeschirr. Die auf der Drehscheibe gefertigten, zur besseren Handhabung außen gerillten Töpfe standen sowohl zum Erhitzen flüssiger Speisen am offenen Herdfeuer wie zum Aufbewahren kleiner Vorratsmengen im Küchenregal. Beide waren unglasiert und wegen der porösen Wandung nicht wasserdicht. Die zweischalige Stielpfanne besaß eine abdichtende Innenglasur und konnte dank ihrer Standfüße in die Glut des Herdfeuers gestellt werden. K.E.

16. und 17. Jahrhundert

Wirtschaft, Wissenschaft und Kunst gewinnen zu Beginn der Neuzeit um 1500 ein neues Profil, das in alle Lebensbereiche wirkt. In den führenden Städten des Oberrheins, Basel, Freiburg und Straßburg, werden diese Veränderungen vielfältig spürbar. Sie sind Zentren des Humanismus, in denen Erasmus von Rotterdam, Sebastian Brant, Ambrosius Amerbach und im badischen Land Reuchlin und Melanchthon neue Impulse liefern. Aus den Zünften entwickelt sich eine städtische Oberschicht. Ihre standesgemäße Repräsentation findet vielfältigen Ausdruck in der Errichtung privater und öffentlicher Bauten und in Stiftungen. Bürger und Kirche gründen Bruder- und Pflegschaften und engagieren sich in der Sozialfürsorge für Arme. In die bürgerliche Wohnkultur gelangt vermehrt edles Zier- und Gebrauchsgerät. Der im Zuge der Reformation propagierte neue Glauben fällt am Oberrhein auf fruchtbaren Boden. Parallel dazu erfolgt die Teilung der badischen Markgrafschaft (1515 bzw. 1535) in einen katholischen und einen protestantischen Landesteil. In Baden-Baden und Durlach entstehen neue Residenzen. Die Politisierung der Religionsfrage bestimmt weitgehend das Verhältnis zwischen Landesfürst und Kaiser und mündet in den 30-jährigen Krieg. Zwei Drittel der Bevölkerung werden ausgelöscht oder vertrieben, Kunst und Kultur liegen brach. Die badischen Residenzen (1689) werden, wie große Teile des Landes, zerstört. Nach der Rückkehr Ludwig Wilhelms von Baden von den Türkenkriegen 1692 beginnt mit dem Bau des Rastatter Schlosses ab 1697 ein neues Zeitalter am Oberrhein. R.W.S.

Irene Naef (geb. 1961)
Ohne Titel (Renaissance), 1996
Stucco auf Holz

Material, Technik und Ornamentmuster spielen auf die Kunst der Renaissancezeit an.

Büste des Julius Caesar
Jörg Muskat (1474 erwähnt–1527)
Augsburg, um 1508
Bronze, braune Patina, H. 48,5 cm
Inv. Nr. 89/22

Die Büste steht in engem Zusammenhang mit Büsten antiker Kaiser, die für das Grabmal Kaiser Maximilians in Innsbruck gearbeitet wurden, dort aber nie zur Aufstellung kamen. 20 Büsten von geplanten 36 haben sich erhalten. Die schmalen Schultern und die Art der Anbringung der Inschrift zeigen, dass der Künstler keine antiken Büsten kannte – trotzdem gelang es ihm, Julius Caesar eindrucksvoll zu charakterisieren. B.H.-S.

Weisweiler Altar mit den Heiligen Johannes dem Täufer, Mauritius und Wolfgang
Freiburg (?), 1515/25
Mitteltafel: Holz, gefasst
Außenseiten der Flügel: Tempera auf Holz, B. des Schreines 214 cm
Inv. Nr. C 4746

Szenen aus dem Leben des hl. Mauritius schmücken die Außenseite der Flügel des mächtigen Altares aus der Kirche von Weisweil. Sie wurden von einem Maler aus dem Umkreis des Hans Baldung Grien gemalt. Innen rahmen Reliefs mit Szenen aus dem Leben der Heiligen Johannes des Täufers und Wolfgang den Altarschrein. Dieser enthält die fast lebensgroßen Skulpturen der drei Hauptheiligen, wobei die Rangunterschiede zwischen dem Pa-

tron des Altars und den ›Nebenheiligen‹ durch unterschiedliche Größe angezeigt sind. Die durchbrochene Architektur der ›Chörchen‹ hinter den zum großen Teil vergoldeten Heiligenfiguren lässt sie im Gegenlicht schimmern und erweckt den Eindruck, als ob sie sich bewegten – ein grandioser und erst im Barock wieder verwendeter Kunstgriff. B.H.-S.

Madonna
Tilman Riemenschneider
zugeschrieben (um 1460–1531)
Würzburg, um 1510–20
Laub- und Weichholz,
Fassung abgelaugt, H. 129,5 cm
Inv. Nr. 84/91

Die Spannung zwischen gotischer Ausdruckskraft und neuzeitlicher Bildgestaltung, die für die Werke Riemenschneiders so typisch ist, findet sich bei dieser Figur sehr ausgeprägt. Traditionell wirkt etwa der überaus schmale Oberkörper Mariens, neuartig die Hervorhebung der Köpfe und die Klärung der verwickelten Manteldraperie zu einem übersichtlichen Gebilde, in dem sich das Knie des Spielbeins deutlich abbildet. Die Verwendung astreichen Holzes sowie Farbreste sprechen für eine ursprüngliche Farbfassung. B.H.-S.

Schmerzensmann
Werkstatt Hans von Ropstein nach
Entwurf von Hans Baldung Grien
Freiburg, um 1514
Farbiges Glas, H. 147 cm, B. 52 cm
Inv. Nr. C 8524

Hans Baldung Grien schuf die Entwürfe für viele der Glasgemälde, die zu Beginn des 16. Jahrhunderts für den Kreuzgang der Kartause in Freiburg gestiftet wurden. Bei dem ›Schmerzensmann‹ sind die Details der Zeichnung so präzise ausgeführt, dass vermutet wird, Hans Baldung Grien habe hier selbst zum Pinsel gegriffen. B.H.-S.

Begrüßungsmedaille
Hans Krafft (1481–1542)
Nürnberg, 1521
Nach Entwurf von Albrecht Dürer
Blei, Dm. 7,2 cm
Inv. Nr. 81/163

Brustbild des jungen Kaisers Karl V. (1519–1556) mit Krone, Harnisch und Vlieskette nach rechts, darum der abgekürzte lateinische Titel: ›Karl V. Kaiser der Römer‹. Die Darstellung ist umgeben von einem Fries mit 14 gekrönten Wappen zur spanischen Krone gehörender Länder. Der erste Reichstag Karls V. nach seiner Krönung in Aachen 1520 sollte 1521 in Nürnberg stattfinden. Der Rat der Stadt wollte ihm bei dieser Gelegenheit hundert silberne Exemplare dieser Medaille als Ehrengeschenk überreichen. Wegen des Ausbruchs der Pest in Nürnberg tagten die Reichsstände jedoch in Worms. Zu einer Übergabe der Medaillen an den Kaiser ist es daher wohl nicht gekommen. P.-H. M.

Sturzbecher
›Hansl mit der Schell‹
Siegburg, um 1500, Silbermontierung: Oberrhein (Basel?), um 1540
Steinzeug, Silber, teilvergoldet,
H. 23 cm
Inv. Nr. 95/831

Der schon im 17. Jahrhundert als ›Hansl mit der Schell‹ bezeichnete Sturzbecher musste in einem Zuge geleert und mit der Öffnung nach unten abgestellt werden. Er gehört zu einer Gruppe von Trinkspielen in Form von Narren- und Eulenpokalen, die besonders am Oberrhein verbreitet waren. Der Becher stammt aus der Verlassenschaft der Christiane Magdalene (1616–1662), Prinzessin von Pfalz-Zweibrücken, die ihn ihrem Gemahl Markgraf Friedrich VI. von Baden-Durlach widmete. R.W.S.

Kachelofen
Hans Kraut (1532–1592)
Villingen, 1586–87
Fayence, H. 288 cm
Inv. Nr. V 2789

Der in Villingen im Schwarzwald hergestellte Ofen stammt aus der Werkstatt von Hans Kraut, einem der bekanntesten Hafnermeister der damaligen Zeit. Das neuartige an dem Ofen sind die im Stil italienischer Fayencen bemalten Kacheln mit christlichem Programm. Im unteren Teil sind das

Abendmahl und die Fußwaschung auf großen Bildfeldern besonders hervorgehoben, im Oberbau dagegen dominieren die im Relief ausgeführten Wappenfelder. Wie den Inschriften in den Reliefkacheln zu entnehmen ist, handelt es sich um die Wappen der Äbte Gallus von Sankt Peter und Blasius von Sankt Georgen im Schwarzwald, von denen letzterer den Ofen dem Abt von Sankt Peter geschenkt haben soll. I.F.

Kabinettschränkchen
Tirol, spätes 16. Jh.
Verschiedene Hölzer, z.T. gefärbt, auf Tanne furniert, H. 41,5 cm, B. 42 cm, T. 33,5 cm
Inv. Nr. V 4608

Die Einlegetechnik, die sich, aus Italien kommend, nach 1500 nördlich der Alpen verbreitete, hatte ihren Schwerpunkt in der zweiten Hälfte des 16. Jahrhunderts in Augsburg und Tirol, wo sie von Erzherzog Ferdinand beson-

ders gefördert wurde. Sehr beliebt waren ›Ruinenintarsien‹, Ansichten von zerfallenen Städten und Gebäuden, die sich auf unserem Möbel sowohl auf der reich gegliederten Vorderfront als auch auf den Seitenteilen finden. Ob die Darstellung eines von Musikinstrumenten umgebenen, Laute spielenden Putto auf der Deckplatte auf die ursprüngliche Verwendung des Schränkchens hinweist, muss offen bleiben. Sicher sind in den vielen Schubladen und Fächern des kunstvoll gearbeiteten kleinen Möbels Raritäten oder andere kostbare Gegenstände und Dokumente aufbewahrt worden. P.S.

Räucherburg

Abraham Jamnitzer (1555–nach 1591)
Nürnberg, um 1590
Silber, teilvergoldet, verschiedene Hölzer, H. 33 cm
Inv. Nr. 95/821

Tafelaufsätze, Tischbrunnen und Räucherburgen stellten wesentliche Elemente der höfischen Raumausstattung und Tafelzier dar. Die vom Bruder des berühmteren Wenzel Jamnitzer geschaffene ›Jamnitzerburg‹ ist das früheste erhaltene Beispiel eines ›silbernen Rauchgeschirrs‹. In einer verborgenen Pfanne wurden nach dem Mahl Rauchkerzen verbrannt »deßen rauch durch die caminer die zimmer wohlriechend zu machen gehet«. R.W.S.

Musikantendecke (Detail: Lautenspieler)

Süddeutsch, um 1600
Seidenstickerei auf Leinengewebe, H. 287 cm, B. 186 cm, Dm. der Medaillons ca. 33 cm
Inv. Nr. D 193

Das in alten Inventaren als »tafel teppich«, also als Tischdecke bezeichnete Objekt ist mit 40 Figurenmedaillons bestickt. Sie zeigen Männer mit unterschiedlichen Musikinstrumenten und Frauen in verschiedensten Trachten; z. T. konnten für die Frauendarstellun-

gen Vorlagen in einem italienischen Trachtenbuch gefunden werden. Die Vorzeichnungen in Tinte sind auf dem hellen Leinengrund noch zu erkennen. B.H.-S.

Automatenuhr mit Amor
Andreas Stahel (um 1560–1635)
Augsburg, um 1600
Silber, Bronze, Kupfer, teilvergoldet, Email, Lapislazuli, Brillanten, L. 31 cm
Inv. Nr. 62/30

Technisch-mechanische und kunsthandwerkliche Fertigkeiten vereinen sich in diesem Artefakt aus erlesenen Materialien. Dabei steht die Zeitanzeige im Hintergrund, es dominiert das spielerische Moment: Denn das Automatenwerk bewirkt, dass der Wagen fährt (mit Stopper), die Ziegen wippen und die Hälse drehen, der Hund aus dem Wagen fährt und der Amor mit rollenden Augen den Pfeil auf einen flatternden Papagei abschießt. R.W.S.

Johannes der Täufer aus einer Taufgruppe
Martin Zürn (tätig 1624–1665)
Bodensee, um 1625
Lindenholz, mit Resten originaler Fassung, H. 104,8 cm
Inv. Nr. 79/561

Johannes hat sich vorgeneigt, um mit seiner Rechten die Taufhandlung an Christus zu vollziehen. Auf dem Buch, das er auf den linken Oberschenkel gestützt hat, saß ursprünglich ein Lamm, das Attribut Christi. Die knappen, aber plastisch entwickelten Formen und die raumgreifende Bewegung sprechen für eine Zuschreibung an Martin Zürn. B.H.-S.

Gnadenstuhl
Hans Morinck (ab 1578 in Konstanz –1616)
Konstanz, um 1600
Öhninger Kalkschiefer, z.T. vergoldet, H. 103 cm
Inv. Nr. C 3247

Der Begriff des Gnadenstuhles wurde von Luther in seiner Bibelübersetzung geprägt. Er bezeichnet die Darstellung der Trinität: Gottvater auf Wolken thronend, hält den toten Christus, darüber der Heilige Geist in Form einer Taube. Engel halten Leidenswerkzeuge zum Zeichen der Erlösung der Menschheit. Als Vorlage diente ein Holzschnitt Dürers von 1511. Ursprünglich war das Relief Teil eines Epitaphs im Stift St. Johann in Konstanz. B.H.-S.

Oppenauer Ratsscheiben (Detail)
Straßburg, 1617–1623/25
Firma Helmle, Freiburg, nach 1832
Farbige Gläser, Schwarzlot, Silbergelb, Verbleiung, H. 33 cm (einzelne Scheiben), H. 118 cm (Fensterflügel)
Inv. Nr. 95/951, 95/952

Die ›Gerichtszwölfer‹ von Oppenau, die Ratsherren also, haben 1610, dann wieder 1617 und auch später noch Wappenscheiben zur Ausschmückung des Ratssaales gestiftet. Im Hauptbild stehen sich jeweils die Eheleute als Stifterpaar gegenüber, in der Kopfszene ist eine biblische Geschichte dargestellt, unten folgen Name und Wappen. Im 19. Jahrhundert gelangten die Scheiben als Schenkung an Großherzog Leopold, der sie in Schloss Stauffenberg einbauen ließ. B.H.-S.

Wolmatinger Gemeindesilber

Pokal
Konstanz, Anfang 17. Jh.
Silber, teilvergoldet, H. 22,7 cm
Inv. Nr. C 5511

Hohe, becherförmige Kuppa mit Beschlag- und Rollwerkdekor.

Pokal
Jakob Frick
Konstanz, um 1600
Silber, teilvergoldet, H. 21,3 cm
Inv. Nr. C 5512

Hohe, becherförmige, glatte Kuppa mit Maureskenfries am Lippenrand.

2 Pokale
Konstanz (?), um 1600
Silber, teilvergoldet, H. 16,7 cm
Inv. Nr. C 5515, C 5516

Vasenförmiger Schaft mit hoher, kelchförmiger Kuppa, sparsamer Lilien- und Maureskendekor.

Pokal
Konstanz (?), um 1600
Silber, teilvergoldet, H. 23 cm
Inv. Nr. C 5513

Vasenförmiger Schaft, hohe, konische Kuppa. An Fuß und Kuppa Maureskenfriese, drei Rundmedaillons mit antiken Kriegerköpfen sowie einem Frauenkopf.

Daubenbecher
Heinrich Hamma,
(nachweisbar 1563–1617)
Konstanz, um 1600
Silber, teilvergoldet, H. 9,7 cm
Inv. Nr. C 5517

Die Becherform ahmt einen aus Dauben und von Bändern gehaltenes Gefäß nach.

Noppenbecher
Heinrich Hamma (nachweisbar 1563–1617)
Konstanz, um 1600
Silber, teilvergoldet, H. 18,5 cm
Inv. Nr. C 5514

Seltene Becherform, bei der in Silber ein Noppenbecher aus Glas nachgeahmt wird.

Doppelpokal
Jeremias Michael (?)
Augsburg, um 1605
Silber, teilvergoldet, H. 30 cm
Inv. Nr. C 5518

Podestartiger Fuß, vasenförmiger Schaft, sechseckige Kuppa mit Schweifwerk bzw. Früchten im Wechsel graviert.

Die Pokale stammen wohl aus dem ehemaligen Ratssilber der Bodenseegemeinde Wolmatingen bei Konstanz. Es ist anzunehmen, dass die Gemeinde, ebenso wie es in manchen Schweizer Städten üblich war, im Zuge der Verleihung des Bürgerrechts an Neubürger einen Silberbecher forderte. Der 1887 erworbene Bechersatz dokumentiert auf anschauliche Weise verschiedene Grundtypen von Renaissancepokalen. R.W.S.

Ochse als Trinkgefäß
Elias Zorer (gest. 1625)
Augsburg, um 1600
Silber, vergoldet, H. 27 cm
Inv. Nr. 64/102

Auf fürstlichen Schaubuffets, in Jagd- und Rathäusern sowie Zunftstuben erfreuten sich in Silber geformte Tierpokale besonderer Beliebtheit. Meist dienten sie als ›Willkomm‹ für den Begrüßungstrunk. Häufig nahm das gewählte Tier Bezug auf seinen Bestimmungsort; so verkörpert es heraldische Bestandteile eines Stadtwappens oder verwies auf einen Berufsstand. Der Ochse stammt aus dem Besitz der Fleischer-Innung Breslaus. R.W.S.

Granatapfelbecher
Thomas Stoer d. J. (1601–1683)
Nürnberg, um 1630
Silber, vergoldet, H. 10,5 cm
Inv. Nr. 64/125

Um 1500 entstehen eine Reihe von Pokalen, die Früchte (Birne, Melone, Apfel, Rübe) in einem symbolfreien Naturalismus nachahmen. Dieses Thema beschäftigte auch Albrecht Dürer, wie sein Dresdner Skizzenblatt von um 1507 belegt. Der gut hundert Jahre später und ebenfalls in Nürnberg entstandene Granatapfelbecher kann wohl im Zusammenhang mit der so genannten ›Dürer-Renaissance‹ gesehen werden. R.W.S.

Markgrafenpokal
Johann Jakob I. Biermann
(1595–1672)
Basel, 1638
Silber, vergoldet, Email, H. 40 cm
Inv. Nr. 95/823

Inschriften, Wappen und die Reiterfigur des Bernhard von Sachsen-Weimar, Heerführer der protestantischen Union, verweisen auf die Schlacht bei Rheinfelden von 1638, an der die württembergischen Herzöge Leopold Friedrich und Georg sowie Markgraf Friedrich von Baden-Durlach (1594–1659) beteiligt waren. Die im Zuge des 30-jährigen Krieges verlorene Markgrafschaft gelangte infolge dieses Feldzuges teilweise wieder an Markgraf Friedrich zurück. R.W.S.

Drei Frauen
Leonhard Kern (1588–1662)
Schwäbisch Hall, um 1640
Elfenbein, H. 27 cm
Inv. Nr. 93/72

Nichts hat diese Gruppe von drei Frauen, die sich verängstigt aneinander drängen, mit den Gaben austeilenden Grazien der antiken Mythologie zu tun. Dennoch wird durch die Dreizahl und die Nacktheit der Figu-

ren die Erinnerung an sie wachgerufen, den Wirren des 30-jährigen Krieges zum Trotz. B.H.-S.

Perseus rettet Andromeda
Adam Lenckhardt
(1610 Würzburg–1661 Wien)
Wien, 1643
Elfenbein, H. 34,5 cm
Inv. Nr. 61/23

Das signierte und datierte Kunstkammerobjekt entstand für den Fürsten Karl Eusebius von Liechtenstein. Es illustriert eine Geschichte aus den Metamorphosen des Ovid. Die Königstochter Andromeda sollte einem Meeresungeheuer geopfert werden, da ihre Mutter den Zorn Neptuns erregt hatte. Perseus jedoch, den seine Flügelschuhe durch die Lüfte tragen, befreite sie. B.H.-S.

Stehendes Tödtlein mit Köcher
Süddeutsch, 2. Hälfte 17. Jh.
Laubholz, vollrund mit Spuren alter Fassung, H. 27,7 cm
Inv. Nr. 68/113

Wie im Mittelalter, so wurde auch in der Renaissance immer wieder der Tod dargestellt: hier in Fetzen von Haut wie in ein Gewand gehüllt und mit Bogen (verloren) und Köcher ausgestattet. Sein Anblick sollte daran erinnern, wie pfeilschnell der Tod eintreten kann und dadurch mahnen, ihn zu bedenken und sich auf ihn vorzubereiten. B.H.-S.

Apotheken-Gefäße
Südwestdeutsch, vom Heidelberger ›Kornmarkt‹, 16./17. Jh.
Glas, Keramik, H. 17,6 cm, 14,9 cm, 13,7 cm und 9,9 cm
Inv. Nr. J 101-102, G 04 u. 07

Ausgrabungen im Bereich des ehemaligen Kornmarktes von Heidelberg führten zur Entdeckung der Reste ei-

ner frühen Apotheke in einem Brunnenschacht. Die entsorgten Gefäße aus Ton und Glas haben glatte und dichte Wandungen. Ihre Ränder sind so geformt, dass sie leicht mit einem Deckel verschließbar waren oder zugebunden werden konnten. In den überwiegend zylindrischen Gefäßen wird man Salben aufbewahrt haben. Nur das außen grün und innen braun glasierte Gefäß dürfte lokaler Produktion entstammen, die Gläser und das blau bemalte Fayencegefäß mussten von auswärtigen Produzenten bezogen werden. K.E.

Apoll und Daphne
Westdeutsch, Ende 17. Jh.
Pappelholz, weiße Fassungen,
H. 183 cm
Inv. Nr. 60/28

Der Erhaltungszustand des Holzes lässt vermuten, dass die Gruppe zeitweilig dem Wetter ausgesetzt war. So

diente diese Gruppe wohl zur Beleuchtung sommerlicher Gartennächte: In die Lorbeerzweige, die Daphne teilweise verhüllen, sind Kerzenhalter eingefügt. Viele Skulpturen der Barockzeit dienten als Gartenfiguren und waren aus Stein gearbeitet, der hier durch die weiße Bemalung imitiert wird. B.H.-S.

Prunkkanne
Marx Weinhold
(Meister 1665, gest. 1700)
Augsburg, um 1670
Silber, vergoldet, H. 42,4 cm
Inv. Nr. 61/70

Nicht nur die Klarheit des schönen Umrisses besticht bei dieser Kanne, sondern ebenso die Virtuosität der Treibarbeit: Früchtebouquets, plastische Akanthusblätter und Rosettenblüten überziehen das Gefäß. Wahrscheinlich handelt es sich hierbei um eine Schenkkanne für Wein, zu der noch ein schalenförmiger Untersatz gehörte. R.W.S.

18. Jahrhundert

Das 18. Jahrhundert bringt den durch den 30-jährigen Krieg und die Erbfolgekriege in Mitleidenschaft gezogenen Gebiete im deutschen Südwesten eine lange Phase des Friedens. Viele größere und kleinere, weltliche und geistliche Territorien prägen das Land vor der großen Neuordnung Europas durch Napoleon zu Beginn des 19. Jahrhunderts. Alle wetteifern mit der Errichtung neuer Residenzen bzw. deren prunkvollen Ausstattung. Mit Karlsruhe kommt es sogar zu einer neuen Stadtgründung, die als ideale, den Vorstellungen absolutistischer Machtentfaltung adäquate Anlage in die Geschichte eingehen wird. In den geistlichen Territorien, z.B. in der Residenz der Fürstbischöfe von Bruchsal, erhält das Gotteshaus als Bauaufgabe und damit verbundene sakrale Skulptur und Gerät einen neuen Stellenwert. Kunst und Kultur des Barock vermitteln etwas von einem neuen Lebensgefühl, das sich in der Durchgestaltung aller Bereiche des Lebens darstellt. Die Idee des Gesamtkunstwerks war nie so lebendig wie in jener Zeit. Auch die Bevölkerung auf dem Lande konnte sich – nicht selten durch die unmittelbare Anschauung in den neuen Landsitzen und den Gartenanlagen – ein Bild von jener höfischen Kultur machen und versuchte sie zu imitieren oder für ihre Belange umzuformen.
Ein wichtiger Aspekt der Zeit ist die Industrieförderung seitens der Fürsten, indem diese z.B. Manufakturen für Glas, Fayence und Porzellan mittels ihrer Privilegien förderten oder sogar selbst als Unternehmer auftraten. Die Bedürfnisse an kostbaren Ausstattungsgegenständen, vor allem für die fürstliche Tafel, konnten oft aus diesen Unternehmen befriedigt werden. I.F.

Cindy Sherman (geb. 1954)
Soupière, 1990
Limoges-Porzellan

Ironisch zitiert die amerikanische Künstlerin die zeittypischen Motive alten Porzellans und sich selbst in den Bildkartuschen im Rollenspiel als Madame Pompadour.

Sturzglas
Sachsen, vielleicht auch Schwarzwald, um 1714
Farbloses Glas mit Mattschnitt, Silbermontierung, H. 31,7 cm
Inv. Nr. 95/991

Auf der Wandung des Glases sind der Reichsadler mit der Unterschrift »VIVE L'EMPEREVR« und das französische Lilienwappen mit der Unterschrift »VIVE LE ROY« eingeschnitten, darunter die Inschrift: »SINE PONERE / RASTADT 16 : MART : 1714«. Mit dem Frieden von Rastatt beendeten Kaiser Karl VI. und König Ludwig XIV. 1714 den Spanischen Erbfolgekrieg. Der Sturzkelch gehört wohl zu einem im Zusammenhang mit dem Friedensschluss bestellten Service, von dem sich weitere Teile in Schloss Favorite bei Rastatt erhalten haben. Beim Festmahl wurde wahrscheinlich mit der silbernen Schelle das Signal zum Umtrunk gegeben. Das Glas musste, wenn es gefüllt war, unmittelbar ausgetrunken werden, da es sich nur mit der Öffnung nach unten abstellen ließ. P.S.

Verkündigungsbild
Florenz, 1720, Großherzogliche Werkstätten unter Leitung von Giovanni Battista Foggini
Schieferplatte mit verschiedenfarbigen ›pietre dure‹, H. 89 cm, B. 85 cm
Inv. Nr. 78/52

Das kostbare, aus Edelsteinen gefertigte Bild zeigt in zwei ovalen Medaillons einen Ausschnitt aus dem berühmten Gnadenbild der Santissima Annunziata in Florenz. Wie sich aus Archivalien belegen lässt, erhielt es die »Principessa di Baden«, die Markgräfin Sibylla Augusta von Baden-Baden, deren Schwester mit dem Erbgroßherzog von Florenz, Giovanni Gastone de' Medici, vermählt war, 1720 von Großherzog Cosimo III. de' Medici zum Geschenk. Sibylla Augusta hatte im Jahr zuvor auf ihrer Romreise auch Florenz besucht und dort dem Großherzog ihre Aufwartung gemacht. Das Geschenk knüpft an diesen Besuch und an den damals geäußerten Wunsch, das wundertätige Gnadenbild zu sehen, an. Die Empfängerin versicherte dem Schenker, dass »die heiligste Annunciata in meinem fürstlichen hawse zu allen zeiten mit gebührender ehrerbietigkeit hochgeschätzt werden« solle, doch nach dem Erlöschen der baden-badischen Linie wurde das Bild 1775 in Offenburg versteigert. Zweihundert Jahre lang blieb es verschollen, ehe es 1979 im Kunsthandel auftauchte und für das Badische Landesmuseum erworben werden konnte. P.S.

Altarkreuz mit Grotte
Johann Andreas Thelot
(1655–1734)
Augsburg, um 1700
Holz, Schildpatt,
Amethystquarz, Steinbesatz,
H. 137 cm
Inv. Nr. 91/142

Ausgestattet mit vorzüglichen Silberreliefs von J. A. Thelot, mit qualitätsvollen Elfenbeinschnitzereien, mit kostbaren Materialien wie Halbedelsteinen, Schildpatt und Email anderer Meister muss das Altarkreuz als Kultgerät ersten Ranges eingestuft werden. Einem barocken Theaterprospekt gleich, entpuppt sich der zu öffnende, als Grabesgrotte Christi gestaltete Sockel. R.W.S.

Prunktisch
Jeremias Jakob Abrell
(Silberschmied, 1678–1716) und
Johann Mann (Silberkistler, 1669–1734)
Augsburg, um 1712–15
Holzkern, Silber, Messing, Kupfer,
Schildpatt, Elfenbein, H. 79 cm,
B. 104 cm, T. 77,5 cm
Inv. Nr. 74/80-82

Aus der führenden Silberstadt Augsburg, die auch für ihre Silbermöbel internationale Bedeutung erlangte, stammt der kostbare Tisch, zu dem noch ein Paar Gueridons gehören. Die auf farbigen Kontrast ausgelegte Tischplatte haben die verschwägerten Abrell und Mann in ›Boulle-Technik‹ gearbeitet: Im Mittelfeld thront der ›Kaiser von China‹, umgeben von Gauklern und Höflingen. In den übrigen Feldern sind weitere Darstellungen von Chinesen vorhanden. R.W.S.

Herkules und Cerberus
Pierre Puget (1620–1694)
zugeschrieben
Toulon, 3. Viertel 17. Jh.
Bronze, braun patiniert, H. 28,5 cm
Inv. Nr. 64/161

Die Elfte der Arbeiten, die Herkules für Eurystes ausführen musste, bestand darin, den Höllenhund Cerberus, den dreiköpfigen Wächter des Hades, herbeizubringen. Das Thema der Herkulesarbeiten war im 17. Jahrhundert sehr beliebt, wurden seine Anstrengungen doch als Allegorien seelisch-moralischer Kämpfe aufgefasst. Möglicherweise erfolgte der Guss nach Entwürfen Pugets in der Kanonengießerei in Toulon. B.H.-S.

Pokal
Glashütte Aeule, 1726 (dat.)
Glas, Emailmalerei, H. 21,4 cm,
Dm. 10 cm
Inv. Nr. Sp 3196

Das Prunkstück einer Schwarzwälder Glashütte ist als Brautpokal mit der Aufschrift der Hochzeiter versehen: »vivat gesundheit / Antreas sigler / Vundt Chatarina / Schmitin Vundt /

Allen denen / die auß dem / Glas drinkhen S. MARIA: I(n) D(odtmoos) 1726«. Mit der Mantelpietà von Todtmoos erfolgt die Anheimstellung des Paares und seiner Gäste unter den Schutz Marias. W.M.

Engel mit Laute
Joseph Anton Feuchtmayer
(1696–1770)
Bodensee, 1739/40
Linde (?), Reste originaler Fassung,
H. 155 cm
Inv. Nr. V 12499

Mit tänzerisch überkreuzten Beinen ist die Laute spielende, fragil wirkende Figur eines schwebenden Engel dargestellt. Seine Gestaltung ist deutlich auf Unteransicht hin konzipiert – auch die Wahl bestimmter Bereiche für die Vergoldung verweist darauf. Ursprünglich gehörte der Engel wohl zu einer heute den Staatlichen Museen zu Berlin gehörenden Marien-

figur, die vom gleichen Vorbesitzer erworben wurde. Wegen der gleichen Blickrichtung von Engel und Maria muss noch eine dritte Figur die Gruppe komplettiert haben. Möglicherweise handelte es sich um eine ›Lactatio‹, um eine Vision des hl. Bernhard. Vermutet wird, dass diese Skulpturen von dem schon im 18. Jahrhundert wieder abgetragenen Bernhardsaltar im Kloster Salem stammen, der 1739/40 von Feuchtmayer gearbeitet wurde. B.H.-S.

Grabmal des Hoffaktors E. F. Fein

Paul Egell (1691–1752)
Mannheim, nach Juli 1741
Gelber Sandstein, H. 169 cm
Inv. Nr. 66/160

Der Handelsmann und spätere Kammerrat Fein hinterließ, wie die lange Inschrift in der Kartusche bezeugt, Frau und drei Kinder, die ihm dieses Grabmal stifteten. Figurationen der drei theologischen Tugenden Glaube

(mit Kreuz), Hoffnung (mit Anker) und Liebe (mit Kind), wie auch solche der Treue und der Ehrlichkeit flankieren das Schriftfeld. B.H.-S.

Herkules tötet die Lernäische Hydra
Umkreis des Matthias Bernhard Braun
2. Hälfte 18. Jh.
Lindenholz, originale Fassung,
H. 75 cm
Inv. Nr. 57/18

Der griechische Held Herkules, der im Zeitalter des Barock als der Inbegriff aller Tugend galt, wird in dem bravourösen Kunstwerk im Kampf mit der Lernäischen Hydra gezeigt. Mit enormem Schwung führt Herkules seine große Keule gegen die nach allen Seiten züngelnden Köpfe des Untiers. B.H.-S.

Korb von einem Tafelaufsatz
Johann Joachim Kaendler
Meißen, 1737–39
Porzellan, B. 55,5 cm
Inv. Nr. 68/107

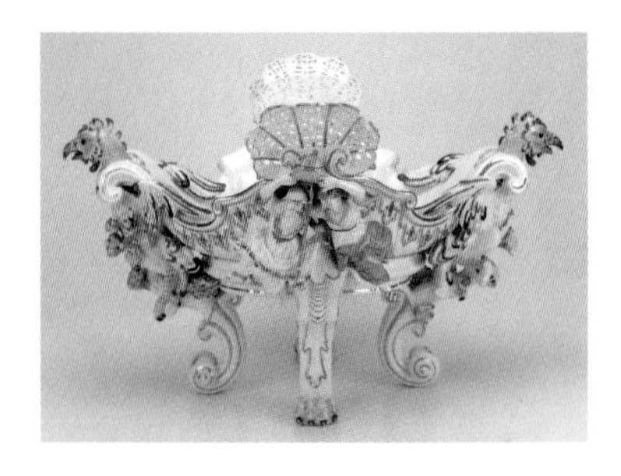

Als einflussreicher sächsischer Kabinettsminister bestellte Heinrich Graf von Brühl (1700–1763) in seiner Zeit als Manufakturdirektor mehrere Service, u.a. das berühmte ›Schwanenservice‹, und weitere Einzelteile wie den Tafelaufsatz bei der 1710 gegründeten Manufaktur in Meißen. Die Unterlagen zu diesen Aufträgen sind noch erhalten. J. J. Kaendler war der Modelleur des prächtigen Tafelaufsatzes, der aus dem Korb für die Präsentation von Zitronen, einem Untersatz und mehreren Kannen und Töpfen für Essig, Öl und Senf bestand. I.F.

Deckelterrine in Entenform
Straßburg, vor 1754
Fayence, H. 32 cm
Inv. Nr. 63/26

Obwohl die Fayence durch die Erfindung des europäischen Hartporzellans

zuerst etwas an Bedeutung verloren hatte, bevorzugten die Fürsten jedoch für das Leben auf dem Lande Service aus Fayence. Die Ente stammt aus dem Jagdservice des Kölner Kurfürsten Clemens August (1700–1761), das er für sein Jagdschloss Clemenswerth in Straßburg in Auftrag gegeben hatte. In den Inventarprotokollen sind etwa 220 Geschirrteile und 120 Terrinen aufgelistet. Die Erzeugnisse der Straßburger Manufaktur unter der Direktion von Paul Anton Hannong waren sehr begehrt. Erst die Anwendung der Aufglasurmalerei nach dem ersten Brand ermöglichte die besonders nuancenreiche Malerei des Federkleides. I.F.

Chinesenhaus
Frankenthal, um 1770
Porzellan, H. 25 cm
Inv. Nr. 69/59

Szenen der Jagd, des Theaters, der Ehe und des Familienlebens, aber auch Chinesendarstellungen prägen das Bild der Frankenthaler Manufaktur. Sie verdankt ihr Entstehen der rigorosen Wirtschaftspolitik Frankreichs, die allein der Manufaktur von Vincennes das Monopol zur Porzellanherstellung einräumte. Somit konnte Kurfürst Carl Theodor von der Pfalz den Straßburger Fayencemeister Paul Anton Hannong, dem es 1751 gelungen war, das erste Hartporzellan in Frankreich zu erfinden, mit der Gründung der Frankenthaler Manufaktur beauftragen. Die aus Meissen gekommenen Modelleure Johann Friedrich Lück und Karl Gottlieb Lück entwickelten Gruppen, bei denen Figuren, Architektur und Natur eine stimmige Verbindung eingehen. I.F.

Mehrzwecktisch
Abraham Roentgen (1711–1793)
Neuwied, 1760–62
Kirschbaum, Nussbaum, Palisander, Ahorn, gefärbt, auf Eiche und Tanne furniert, H. 82,5 cm, B. 95 cm, T. 63,5 cm
Inv. Nr. 62/79

Der Tisch ist eines der in der zweiten Hälfte des 18. Jahrhunderts beliebten Mehrzweckmöbel. Er konnte als Lese-, Musik- und Schreibtisch verwendet werden und ließ sich im Stehen und im Sitzen benutzen. Die Tischplatte ist gedoppelt; beide Platten lassen sich mittels geschwungener Leisten und höl-

zerner Zahnstangen hochstellen. Beim Hochklappen der oberen Platte wird mittels eines Metallbolzens eine Leiste als Auflage herausgeschoben. Neben der kunstvollen Mechanik machte die feine handwerkliche Arbeit den Ruhm der Roentgen-Werkstatt aus. Sie zeigt sich hier vor allem in den grün in Grün getönten Marketerien der Blumensträuße und -girlanden, aber auch in den mit Palisander furnierten Fasen, der feinen Profilierung der Tischplattenkante und der äußerst sorgfältigen Bearbeitung des Holzes. P.S.

Wandvertäfelung
Baden, 18. Jh.
Holz, gefasst,
H. 84 cm, B. 103 cm
Ohne Inv. Nr.

Die Durchdringung des Alltagslebens mit volkstümlichen Bildern und Zeichen religiöser Symbolik erstreckt sich im 18. Jahrhundert im Bereich der historischen Volkskultur nicht nur auf Schränke und Truhen, sondern bezieht stellenweise im Wohnbereich die Wandvertäfelung mit ein. Die Darstellung der Muttergottes mit den sieben Schmerzen ist nach Anspruch und Stilqualität mit den Bildern der Dorfkirchenmaler zu vergleichen; für sie waren diese Arbeiten willkommenes Zubrot. W.M.

Robe à la française
Frankreich, 1775–80
Baumwollstoff von
Rother & Cie., Nantes,
L. (Manteau) 130–160 cm
Inv. Nr. 92/427

Der Schnitt dieser Robe folgt dem Muster der großen Hofroben der Mitte des 18. Jahrhunderts. Diese bestehen aus zwei Teilen, dem Rock (jupe) und einem mantelartigen Teil (manteau) mit großer Stofffülle und weit aufspringender, sogenannter Watteau-Falte im Rücken. Statt Seide hat man hier die pflegeleichtere Baumwolle verwendet. Diese bedruckten, aus Indien importierten Stoffe (›Indiennes‹) wurden ab der Mitte des 18. Jahrhunderts zunächst im Elsass, dann auch im übrigen Frankreich hergestellt. B.H.-S.

Büste der Comtesse de Sabran
Jean-Antoine Houdon (1741–1828)
Paris, um 1785
Marmor, H. 61,5 cm
Inv. Nr. 59/49

Françoise Eléonore de Manville (1750–1827), verheiratet mit Comte de Sabran, blickt spöttisch am Betrachter vorbei. Sie galt als lebhaft, schön und geistreich und glänzte in den Pariser Salons. Die Unmittelbarkeit des Ausdrucks, die sinnliche Lebendigkeit von Haut und Haaren unterstützte Hudon durch die modische, halb aufgelöste Frisur. B.H.-S.

Hinterglasbild
Schwarzwald, 1770 (dat.)
Mischtechnik, Weichholz, schwarz gefasst, H. 40,3 cm, B. 34,0 cm
Inv. Nr. 2427

Hinterglasbilder für den Massenabsatz sind seit der 2. Hälfte des 18. Jahrhunderts über 100 Jahre lang vor allem im südlichen Schwarzwald hergestellt worden. Die Hinterglasmalerei bildet den Seitenzweig einer Hausindustrie im Gefolge der Glashütten, ausgehend von Holz als Energieträger und Rohstoff. Beim religiösen Hauptteil der Bilder reichen die Wirkungen gegenreformatorischer Kult- und Bildpflege bis weit ins 19. Jahrhundert. Für die Masse der Heiligenbilder berücksichtigten die Schwarzwälder Maler rund 50 Heilige. In der Frühzeit taucht an heimischen Gnadenbildern in der Gestaltung barocker Volksreligiosität vor allem das Vesperbild von Friedenweiler auf. W. M.

Pforzheimer Automatenuhr
Amedée Christin
Pforzheim/Karlsruhe, um 1774
Nussbaumholz, Messing, vergoldet, Email, H. 83 cm, B. 83 cm, T. 35 cm
Inv. Nr. 94/814

Amedée Christin aus Bern war einer der ersten Uhrmacher, die 1767 anlässlich der Gründung der »Uhr- und Stahl-Fabrik« im Pforzheimer Waisenhaus von Markgraf Karl Friedrich angeworben wurden. Neben verschiedenen Indikationen und Glockenschlag verfügt diese erste nachweis-

bare Pforzheimer Uhr über ein Automatenwerk, das die zwei ›Gärtnerinnen‹ in Aktion treten lässt. R.W.S.

Schandmaske

Baden, 17./18. Jh.

Eisenblech, bemalt, H. 56 cm, B. 33 cm, T. 58 cm

Inv. Nr. C 5356

Vor dem Beginn moderner Rechtsprechung diente das Tragen von Schandmasken in der Öffentlichkeit dazu, den Missetäter dem Spott der Gesellschaft auszuliefern. Vorzugsweise die wegen Ehebruchs, Trunkenheit, Beleidigung oder Zanksucht Verurteilten mussten solche oftmals phantasievoll geschmückten Masken tragen. Hier weist spiegelnd die Gestaltung auf das Vergehen hin. So deutet die 38 cm lange Zunge auf Verleumdung oder Lügerei, die langen Ohren auf dummes Verhalten. Meist war mit dem Tragen der Maske das Stehen am Pranger oder das Herumführen in einer Halsgeige verbunden. Darauf machte ein Glöckchen aufmerksam, das mit einer Halterung am Scheitel befestigt war. Stilistisch war diese Art von Schandmaske das Vorbild für die im Bodenseegebiet vorkommende Fastnachtsmaske, die so genannte ›Schnabelgigri‹. W.M.

Instrumente der Straf- und Folterjustiz

Zwei ›Halsgeigen‹, Handschelle, Handfessel

Deutsch, 18. Jahrhundert

Eisen, Holz, verschiedene Maße

Inv. Nr. C 363a, C 7732, 94/817 und ohne Nr.

In vielen deutschen Ländern lebte bis zum Ende des alten Deutschen Reichs und dem ›Code Napoléon‹ das System der mittelalterlichen »abbildenden Strafen« einschließlich Ehr- und Schandstrafen wie dem Prangerstehen und der Halsgeige sowie die im frühen 16. Jahrhundert legitimierte Praxis des Folterverhörs fort. Der badische Markgraf Karl Friedrich (1728–1811) war einer der – nach England und Preußen – ersten Landesherren, der unter dem Einfluss der Aufklärung 1752 inhumane Formen der Strafjustiz und 1767 die Folter abschaffte. Als reformerischer Fürst sorgte er gleichermaßen für Schulbildung und Lehrerseminare, Versicherungen und Witwenkassen und schließlich 1783 für die in ganz Deutschland bewunderte Abschaffung der Leibeigenschaft. H.S.

Zweitüriger Schrank
Johannes Baier (1758–1824)
Langenelz, datiert 1789 und
signiert: »Baier«
Fichte, bemalt, H. 170 cm, B. 127 cm,
T. 57 cm
Inv. Nr. 81/86

Der Name Baier hat für die Möbelmalerei des ›Volksbarocks‹ im Badischen Odenwald eine ähnlich große Bedeutung wie der Name Rößler für das Hohenlohische. Im Gegensatz zum Werk der Schreinerfamilie Rößler mit ihrer Werkstatt in Untermünkheim sind die Möbel der Störhandwerker Baier auf den Höfen der Besteller geschreinert und bemalt worden. Wie zahlreiche der farbkräftigen Möbel der Familie Baier zeigt auch dieser Schrank die intensiv rote Grundfarbe, die Vielgliedrigkeit in der Aufteilung der Schrankfläche und die Feinheit des Pinselstriches und zeichnet sich durch Inschriften auf den Schranktüren aus: »ach gott wie gett es: O/ immer zu das die mich./ hassen dene ich nicht./ du die mir nichts gonen/ und nichts geben die/«. »miesen doch leiten das:/ ich due leben und wan/ sie meinen ich seye verdor/ ben so miesen sie erst/ vor sich selber Sorchen/«. W.M.

Französische Revolution

Die Revolution in Frankreich hatte schrittweise ab 1789 auch Auswirkungen auf das benachbarte alte Deutsche Reich, das Heilige Römische Reich Deutscher Nation, mit seinen zahlreichen Einzelstaaten. Die Ideen der Aufklärung und des Liberalismus fanden im Bürgertum, zumal in Südwestdeutschland, weite Verbreitung, bevor die jakobinische Gewalt ab 1792 die Revolutionsbegeisterung abkühlte. Wie nie zuvor wurde das politische Bekenntnis mit visuellen Zeichen ausgetragen – Freiheitsbäume, Kokarden, Parolen und Devisen auf Alltagsgegenständen, mittels der Kleidung und in Plakaten, auf Flugblättern und Bilderbögen. Aus den politischen Umwälzungen in Frankreich ging Napoleon Bonaparte als verändernde Kraft in ganz Europa hervor. H.S.

Ian Hamilton Finlay (geb. 1925)
Teapot/Teekanne, 1987
Keramik (mit David Ballantyne)

In der Art einer Wort- und Bildbotschaft verbindet Finlay die politischen Ideen der Französischen Revolution mit dem Alltag, der öffentlichen und häuslichen Welt.

Jakobinermütze
Frankreich, um 1793–95
Rotes und schwarzes Tuch, H. 48 cm
Inv. Nr. 94/799

Ab 1789 drangen Boten der revolutionären Ideen aus Frankreich gerade in den süddeutschen Raum ein. Neben blau-weiß-roten Kokarden und den langen Hosen (sansculottes) waren die revolutionäre Mütze, das ›bonnet‹, und die kurze Jacke ›carmagnole‹ Ausweis der revolutionären Gesinnung. Die Verbreitung der Ideen der Französischen Revolution – Freiheit, Gleichheit, Brüderlichkeit – fand gerade in Südwestdeutschland, von Straßburg her, fruchtbaren Boden. Die Französische Revolution sorgte dafür, dass Jeder sich durch seine Kleidung und Abzeichen zu seiner politischen Gesinnung bekannte – im Sinne einer neuen ›bürgerlichen Öffentlichkeit‹. H.S.

Teller mit Revolutionsmotiven
Fayencemanufaktur Nevers, 1793
Fayence mit bunter Scharffeuerbemalung, Dm. 22,9 cm
Inv. Nr. L 80 (Dauerleihgabe des Vereins der Freunde des Badischen Landesmuseums)

Die Französische Revolution verbreitete ihre Ideen mit jeglichen Alltags- und Gebrauchsgegenständen. Auch die Fayencemanufakturen stellten ihre Produktion auf Revolutionsmotive um, vor allem ostfranzösische Fabriken wie Nevers. In den Mittelpunkt rückten eingängige Motive wie Freiheitsbaum, Bonnet, Piken und die revolutionären Kokardenfarben des Blau-Weiß-Rot. H.S.

1806–1848

Baden – vom Großherzogtum zur Revolution

Die Entwicklung der Markgrafschaft Baden zu Beginn des 19. Jahrhundert ist untrennbar mit Frankreich verbunden. Der große Gebietszuwachs ist wie die Erhebung zum Großherzogtum 1806 ein Akt von Napoleons Gnaden, mit dem dieser Baden für die Unterstützung bei den Eroberungskriegen belohnen will. Der Anschluss an den frankreichtreuen Rheinbund und die Hochzeit des Thronfolgers Karl mit Napoleons Adoptivtochter Stephanie festigen die Bindungen. Im Innern des Landes gilt es, die neu gewonnenen Territorien auf einer einheitlichen Basis zusammenzuführen. Dies ist keine einfache Aufgabe, da die neuen Gebiete eine zum Teil sehr unterschiedliche historische Entwicklung durchlaufen haben und verschiedene gesellschaftliche und religiöse Traditionen mit in das neue Großherzogtum bringen. Erst mit der 1818 erlassenen Verfassung gelingt es, einen landesweiten Verfassungspatriotismus zu begründen. Die von den Liberalen angeführten Debatten im Ständehaus fördern eine bürgerlich-politische Diskussionskultur, die für die Zeit des Vormärz einmalig in Deutschland ist. Aufbruchstimmung herrscht auch in der Wirtschaft: Der Lauf des Rheinstroms wird korrigiert, die erste Eisenbahnstrecke eröffnet, regional bedeutende Wirtschaftszweige wie die Glas- und Uhrenproduktion entwickeln neue Formen und Produkte. Der Beitritt Badens zum Zollverein 1835 treibt die Entwicklung entscheidend voran und bereitet den Weg für die Industrialisierung. Veränderungen gibt es schließlich auch im häuslichen Bereich. Die später als ›Biedermeier‹ bezeichnete Epoche ist gekennzeichnet durch eine zunehmend wichtige Rolle der Familie und des Privaten. K.B.

Daniel Depoutot (geb. 1960)
La tête du loup/ Wolfskopf, 2000

Die alten Mythen des ›Werwolfs‹ und der Abwehrmagie leben in der Maschinenkunst des Elsässer Künstlers auf.

Figurenuhr ›Enthauptung des Johannes‹
Schwarzwald, um 1810
Holz, bemalt, Metall,
Schildgröße H. ca. 25,5 cm,
B. ca. 43,5 cm
Inv. Nr. Sp 2039

Schon seit dem 14. Jahrhundert sind Kunstuhren bekannt, die unter dem Namen ›Automaten‹ mechanische Figurinen hatten und als technische Wunderwerke teilweise Weltberühmtheit erlangten. So ist es nicht verwunderlich, dass Uhren mit beweglichen Figuren schon sehr früh Eingang in die Schwarzwälder Uhrmacherei fanden. Gerade dieser Uhrentyp brachte das Naturtalent der Tüftler des hohen Schwarzwaldes zur vollen Entfaltung und setzte ihrem Ideenreichtum keine Grenzen. In der Nische des Bühnenbogens spielt sich jede Stunde eine schauerliche Hinrichtung ab, die die biblische Szene der Enthauptung Johannes des Täufers darstellen soll. Die Figuren tragen Kleidung im Stil des Empire, so dass auch ein Nachhall auf den »terreur« der Massenhinrichtungen in der Französischen Revolution in der Bildfindung des Figurenensembles vermutet werden darf. W.M.

Ranftbecher mit der Darstellung Napoleons
Carl von Scheidt
Dresden, um 1812
Glas mit Mattschnitt und farbiger Temperamalerei, H. 10,3 cm
Inv. Nr. 91/245

Bildnisdarstellungen waren zu Lebzeiten des französischen Kaisers und oftmals auch noch späterhin in vielerlei Kunstgattungen verbreitet. Schreckensherrscher – Erneuerer Europas: So schwankte sein Ansehen auch in der Bilddarstellung. 1812 befand sich Napoleon auf der Höhe seiner Macht; seit 1803 hatte er Baden zu einem ansehnlichen, auf vierfache Größe ausgedehnten Mittelstaat von Mannheim bis Konstanz erweitert, 1806 zum Großherzogtum erhoben und seine Stieftochter Stephanie mit

dem badischen Erbprinzen Karl verheiratet. Bis zum Jahre 1918 hatte dieses Großherzogtum Bestand. – Dresden war neben Wien nach 1800 Herstellungsort von Trinkgläsern mit eingebrannten Transparentgemälden, den ›Ranftbechern‹. H.S.

Fünf-Franken-Stück des Rheinbundes

Pierre-Joseph Tiolier (1763–1819)
Paris, 1808
Silber, Dm. 3,7 cm
Inv. Nr. I.37.2b

Offensichtlich war zur Zeit des Rheinlandes geplant gewesen, für die unter Napoleons Zepter zusammengeschlossenen Staaten gemeinsam die französische Frankenwährung einzuführen. Dieses in Paris geprägte Probestück bringt die damaligen Machtverhältnisse deutlich zum Ausdruck: Auf

der Vorderseite erscheint Napoleons Porträt und sein Titel in deutscher Sprache, aber in französischer Wortstellung: »NAP(oleon) KAIS(er) BESCH(ützer) D(es) RH(ein) BUND(es)«. Der Name des badischen Großherzogs Karl Friedrich ist auf der Rückseite angebracht, aber ohne sein Porträt. Zu dieser projektierten gemeinsamen Währung ist es nicht gekommen. Von der Probeprägung gibt es nur fünf Exemplare. Von den anderen Rheinbundstaaten sind ähnliche Projekte nicht bekannt. Es ist auch bemerkenswert, dass sich keine Akten zu einer so außergewöhnlichen Währungseinheit erhalten haben. Vielleicht war dem badischen Hof dieser Plan im Nachhinein peinlich. P.-H.M.

Maria mit Kind

Landolin Ohnmacht (1760–1834)
Rottweil, 1792 (signiert und datiert)
Marmor, H. 31 cm
Inv. Nr. 79/401

Der Bildhauer Ohnmacht besuchte 1789/90 Italien und studierte hier ne-

ben zeitgenössischen Künstlern wie Canova auch Raffael und Michelangelo, dessen frühe ›Madonna auf der Treppe‹ ihm offenbar als Vorbild diente, wenn Ohnmacht auch den Ausdruck weicher und sentimentaler formulierte. B.H.-S.

Hochzeitsmedaille
Bertrand Andrieu (1761–1822),
Paris, 1806
Silber, Dm. 4,1 cm
Inv. Nr. I.37.2.

Der badische Erbgroßherzog Karl und die französische Prinzessin Stéphanie, Napoleons Adoptivtochter, gehen – allegorisch als Jakob und Rachel gekleidet – aufeinander zu und reichen sich die Hände. Ihrer beider Namen ›STÉPHANIE NAPOLÉON‹

und ›C.F. LUIS DE BADE‹ stehen senkrecht neben ihnen. Über dem Paar strahlt die Initiale des Stifters der Ehe: Ein großes ›N‹ für Napoleon. Im Abschnitt das Datum der Eheschließung: ›ALLIANCE MDCCCVI‹ sowie die Namen von Medailleur und Direktor der Monnaie de Paris, Dominique Denon. P.-H. M.

Hafnerware
Baden, um 1800
Ton, glasiert, gebrannt,
verschiedene Maße
Verschiedene Inv. Nr.

Auch im Südwesten Deutschlands gab es, wo guter Ton zu finden war und sich Absatzmöglichkeiten boten, seit dem 16. bis ins 20. Jahrhundert kleine

Hafnereien. Der Kundenkreis einer Hafnerwerkstatt setzte sich seit dem 18. Jahrhundert zunehmend aus Kleinbürgertum und Bauern zusammen. Sie wollten das mindere Holzgeschirr durch das anspruchsvolle tönerne ersetzen. In einer Hafnerwerkstatt entstanden eine Vielzahl verschiedener Gefäße wie Schüsseln, Platten, Kannen, Milchtöpfe, Wein- und Mostkrüge, Backformen, Essenstragen, Suppenterrinen u.a. Die Hafnerware, die als Zier- und Festtagsgeschirr Verwendung fand und mehr der Repräsentation diente, bot ausreichend Platz für die Darstellung von Blumen, Inschriften und Sprüchen, die mit volkstümlichem Humor gewürzt sind und urtümliche Lebensfreude verraten. Bedeutende Hafnerorte in Südbaden waren Kandern, Breisach, Schopfheim, Staufen, Villingen. In Nordbaden ist besonders die Odenwälder Hafnerware auffällig durch ihre eigenwilligen Spruchschüsseln und Platten, die auch ›Klößschüsseln‹ genannt wurden. W.M.

Firstziegel ›Zwei Gendarmen mit Hund‹

Langd, 19. Jh.
Ton, L. 36 cm, H. 31 cm
Inv. Nr. 93/2

›Das Dach über dem Kopf‹ gehört zu den elementaren Bedürfnissen des Menschen; ist es verloren, ist die Existenz gefährdet. Die hohe Wertschätzung des Daches äußert sich auch in seinem Schmuck durch Feierabendziegel, die gleichzeitig magische Bedeutung haben. Die längste Tradition als Abwehr- und Schmuckziegel haben die Firstziegel. Im 17. und 18. Jahrhundert stellten die dörflichen Ziegler vor allem mehr oder weniger ausdrucks-

volle Reiterfiguren als schmückende Firstziegel her. Die zwei Gendarmen aus der ersten Hälfte des 19. Jahrhunderts, die mit einem Hund das Haus bewachen, bringen das Bemühen der Obrigkeit um die Herstellung öffentlicher Sicherheit durch Eindämmen des »Jaunertums« zum Ausdruck. W.M.

Mechanisches Kunstwerk

Fideli Stamm
Bad Boll/Schwarzwald, um 1800
Holz, geschnitzt, gedrechselt, gefasst
Metall, H. 192 cm, B. 85 cm
Inv. Nr. Sp 2602

Das mechanische Kunstwerk stellt ursprünglich ein Spielgerät in zwei Teilen dar, mit dem der Erbauer Fideli Stamm im Schwarzwald über Land zog und in Gaststätten, auf Jahrmärkten und Kirchweihfesten zur Belustigung der Zuschauer vorführte. Er trug damit dem Wunsch der Dorfbevölkerung nach bewegten Bildern Rechnung und sah sich als Konkurrent der Erzähler oder Moritatensänger vor aufgehängten Bildern. Der erste Vorführautomat stellt die Hauptbeschäftigung großer Bevölkerungsschichten in den Mittelpunkt, indem er die Arbeitsgänge des Hanfbaues demonstriert. Die musikali-

sche Umrahmung liefert eine Kapelle, die von Figuren in Zivil und Uniform des habsburgischen Spätempire gebildet wird. Die beiden Schellenbaumträger sind Hinweis auf die Vorliebe der Zeit für türkische Musik. Bekanntlich war der Schellenbaum das Hauptinstrument der türkischen Janitscharenkapelle. Der zweite Automat zeigt auf der unteren Ebene einen Tanzsaal mit Spiegelwänden, in denen sich zwei Tanzkreise bewegen, deren Figuren einmal einen Adelsball und zum anderen einen Bauerntanz mit Hanswurst darstellen. Auf einer oberen Ebene treten vor einer prächtigen Kulisse Kaiser Napoleon, der Zar von Russland und der Sultan von Konstantinopel auf, umgeben von ihrem Hofstaat. Sie drehen sich zum Gruß und verschwinden wieder. Der Sammler Oskar Spiegelhalter hatte wohl als erster beide Automaten übereinander gestellt und sie als Beispiel genialen Schwarzwälder Erfindergeistes auf überregionalen Ausstellungen um 1900 vorgestellt. W.M.

Terrakotten ›Schwarzwälder Trachten‹

Anton Sohn (1769–1841)
Zizenhausen, um 1820–30
Ton, bemalt, gebrannt, H. 15,8 cm
Inv. Nr. C 6697, C 6693, V 95/65

In den Bereich der Kleinplastik aus Ton gehören die Arbeiten der Handwerkerfamilie Sohn, die seit dem Ende des 18. Jahrhunderts im oberbadischen Dorf Zizenhausen bei Stockach tätig war. Vor allem mit dem Schaffen des Anton Sohn – er erhielt den Beinamen ›Der Bildermann von Zizenhausen‹ – verbindet sich diese Tradition der Kleinplastik aus dem Bodenseeraum. Die Vielfalt der einzelnen Figuren fügte

er zu plastischen Gruppen zusammen und ließ sich von profanen Themen zu einem biedermeierlichen Welttheater anregen. Im Zuge der Begeisterung der Romantik für das Vaterländische kamen kolorierte Trachtenbilder in Mode. Neben dreier großer Figurenreihen mit 110 schweizerischen Nationaltrachten als Auftragsarbeit eines Basler Verlegers fertigte Anton Sohn auch badische Trachten wie z.B. die Gruppe aus dem Hotzenwald und Markgräflerland. Die Szenen schildern in einfühlsamer Form Begebenheiten des alltäglichen Dorflebens und bestechen durch Detailgenauigkeit. W.M.

Wallfahrtsmedaille

Johann Jakob Neuss d. J. (?)
(1770–1848)
Augsburg, vor 1802
Messing, H. 3,8 cm, B. 3,3 cm
Inv. Nr. 83/6

Ein heiliger Mönch kniet nach rechts, die rechte Hand im Schweigegestus an den Mund gelegt, in der Linken hält er ein Kruzifix und einen Rosenkranz. Links im Hintergrund die Ansicht des Klosters. In der stark abgekürzten lateinischen Umschrift wird der Mönch als »Der ehrwürdige Bruder Kuno, durch Wunder berühmt, vom Orden der Einsiedler des heiligen Paulus« bezeichnet. Es handelt sich um eine Medaille des Klosters Tannheim bei Donaueschingen, das zum Orden des Paulus Archieremita gehörte und 1802 aufgelöst wurde. Der Mönch Kuno der Schweiger soll – wenn es ihn je gegeben hat – im 14. Jahrhundert gelebt haben. Weil er nie ein Wort sprach, rief man ihn als Beschützer nerviger greinender Kinder an. Angeblich stammte er aus dem Hause Fürstenberg, deshalb verehrten ihn die Fürsten von Fürstenberg als ihren Schutzpatron. P.-H.M.

Pendule
Johann Wilhelm Reinholdt
(1777–1834)
Karlsruhe, um 1830
Bronze, patiniert, z. T. vergoldet,
H. 37 cm
Inv. Nr. 94/988

Die Pendule ist mit dem Namenszug des Karlsruher Hofuhrmachers J. W. Reinholdt versehen, der aus einer seit 1775 in Karlsruhe ansässigen Uhrmacherfamilie stammt. Das säulenstumpfförmige, mit einer Efeuranke umwundene und mit einer Fußschale bekrönte Bronzegehäuse ist wohl französischer Herkunft und orientiert sich an Modellen des ausgehenden 18. Jahrhunderts; die Formgebung und die reduzierte Ornamentik entsprechen ganz dem Spätempire. R.W.S.

Kleinplastik ›Zeitgeist‹
Anton Sohn (1769–1841)
Zizenhausen, um 1830
Ton, bemalt, gebrannt
H. 12,5 cm, Sockellänge 10,5 cm
Inv. Nr. V 2901

Die politische Satire dieser Kleinplastik nimmt direkt Bezug auf die Verdrängung des klerikalen Ministeriums Polignac durch Bürgertum und Handwerker im Jahre 1830 in Frankreich. Als Vorlage diente Anton Sohn eine Aquarellstudie von Hieronymus Hess. Durch die Darstellung dieser Art politischer Karikaturen erschloss sich die Basler Kunsthandlung Brenner, hauptsächlicher Auftraggeber des Zizenhausener Themeninventars, auch Frankreich als ergiebiges Absatzgebiet. Die Bezeichnung ›Zeitgeist‹ bringt zum Ausdruck, dass für die Zeit des Vormärz die Zurückdrängung klerikalen Einflusses in der Gesellschaft und eine zunehmende Laizisierung festzustellen ist. W.M.

Drehorgel
Ignatz Blasius Bruder (sign.)
(1780–1845)
Simonswald, 23.12.1829 (dat.)
Bestiftete Holzwalze, 10 Melodien
mechanisch, 23 Claves,
10 Pfeifen in 5 Registern,
H. 55 cm, B. 34 cm, L. 66 cm
Inv. Nr. 92/381

Im Schwarzwald hat Ignatz Blasius Bruder aus Zell am Harmersbach als erster den Schritt vom Musikwerk der ›Flötenuhr‹ zur Herstellung von Drehorgeln gemacht. Auf ihn gründet sich eine Dynastie von Drehorgelherstellern, die sich seit der Mitte des 19. Jahrhunderts in Waldkirch etablierten. Weit hinaus in alle Welt schallte der Ruf dieser Dreh- und später Karussellorgeln aus dem Großherzogtum Baden. Die ersten Drehorgeln nach 1802 zeichnen sich nicht nur durch ihre musikalische Wiedergabe aus, sondern steigern durch die integrierten, kunstvollen und figurenreichen Automaten den Unterhaltungswert der Instrumente. Außergewöhnlich ist das Schicksal dieses Instrumentes: Es ist wohl 1829 vom ›Fahrenden Volk‹ in Auftrag gegeben worden. Ein ›Bärenführer‹ ließ Bären zur Begleitmusik der Drehorgel tanzen. Bei einem Auftritt in einem Dorf der Vendée begeisterte das Instrument einen Franzosen so sehr, dass er dem ›Bärenführer‹ die Orgel entwendete. Über sechs Generationen lang verblieb das Instrument als streng gehüteter Schatz in Familienbesitz. W.M.

Schwarzwaldglas
Trinkglas, Guttere, Netzschüssele,
Schnapsbudele, Scherzglas
Schwarzwald 18./19. Jh.
Glas, Emailfarben, geschliffen bzw.
geschnitten, verschiedene Maße
Verschiedene Inv. Nr.

Die Glasherstellung ist eines der ältesten Gewerbe des Schwarzwaldes. Besonders die großen Klöster wie St. Blasien und St. Peter förderten die Niederlassung von Glashütten, vor allem in dichten, abgelegenen Laubwäldern. Auf diese Weise sahen die Waldbesitzer das Holz genutzt, das weit abseits der Transportwege lag. War ein Gebiet abgeholzt, so wurde die Hütte in eine neue unerschlosse-

ne Region verlegt. Neben dem Sortiment des Gebrauchsglases sind die bekanntesten Schwarzwälder Hüttenerzeugnisse die bemalten Trinkgläser, die ›Netzschüssele‹, die mit Wasser gefüllt auf den Spinnrocken für das Befeuchten der Finger beim Spinnen aufgesteckt wurden, sowie die ›Guttere‹ (Maßflasche). Versehen mit naiven Bildmotiven oder sinnreichen Sprüchen, waren sie ein bevorzugtes Andenken und Liebesgabe. Besondere Geschicklichkeit forderte die Herstellung der beliebten Scherzgläser in Gestalt von Tieren, aus denen man Schnaps getrunken hat. W.M.

Zweitüriger Schrank
Franz Baier (1795–1861)
Unterscheidental, 1847 (dat.)
Fichte, Kaseinmalerei, H. 182 cm, B. 125 cm, T. 54 cm
Inv. Nr. 84/103

In monochromer Gestaltung reduzierte sich die Aufteilung auf drei kleine Motivkassetten, die nicht mehr mit dem strukturellen Erscheinungsbild des Schrankes in Verbindung gebracht werden können. Die Motivkassetten stehen in Zusammenhang mit der Wallfahrt zum Hl. Blut nach Walldürn, die sich zu einem Kristallisationspunkt barocken Kultlebens entwickelt hatte. Mit Recht nannte man die barocke Wallfahrtszeit »Walldürner Ernte«. Nach dem Einbruch kirchlicher Aufklärung mit ihren Verboten erholten sich Kult und Wallfahrt wieder gegen Mitte des 19. Jahrhunderts. W.M.

Becher mit Blumen
Samuel Mohn
Dresden, um 1810
Glas mit Transparentmalerei,
H. 11,3 cm
Inv. Nr. 86/248

Mit Transparentfarben bemalte Gläser erfreuten sich im ersten Viertel des 19. Jahrhunderts großer Beliebtheit. Ihre Wegbereiter waren Samuel Mohn und sein Sohn Gottlob Samuel, die zunächst als Porzellanmaler tätig waren. Als freischaffende Hausmaler wechselten sie häufig ihren Wohnsitz. Samuel Mohn war zuletzt ab 1809 in Dresden ansässig und starb dort 1825. Sein Sohn hielt sich ab 1811 in Wien, danach in Laxenburg auf, wo er erst 36-jährig im Jahr 1825 starb. Die verbreitetsten Motive auf ihren Gläsern sind Stadtansichten. Sträuße, deren Blumen oft mit absichtsvollen Anspielungen für den Empfänger zusammengestellt sind, kommen bei ihnen seltener vor. P.S.

Ranftbecher mit Fischen
Anton Kothgasser
Wien, um 1825–30
Glas mit Transparentmalerei,
H. 11,3 cm
Inv. Nr. 86/265

Die Transparenz des Materials ist bei diesem Becher zu einem reizvollen Spiel geführt, bei dem die beiden auf Vorder- und Rückseite gemalten Fische im Glas hintereinander her zu schwimmen scheinen. Sie erweisen Anton Kothgasser als den Meister, mit dem die Transparentmalerei auf Glas ihre volle Blüte erreichte. Seine Arbeiten, die zu den liebenswürdigsten Schöpfungen des Wiener Biedermeier zählen, wurden schon von den Zeitgenossen hoch geschätzt, worauf z.B. seine Teilnahme an der »ersten allgemeinen österreichischen Gewerbsprodukten-Ausstellung« von 1835 schließen lässt. P.S.

Becher mit Venus und Amor
Dominik Biemann
Böhmen, um 1830
Glas mit Hochschliff und Tiefschnitt,
H. 12 cm
Inv. Nr. 86/276

Dominik Biemann gilt als der bedeutendste Glasschneider des 19. Jahrhunderts. Berühmt wurde er vor allem durch seine nach dem lebenden Modell geschnittenen Porträts, doch

hat er auch vielfigurige Szenen geschaffen, für die er häufig auf Vorbilder aus der Malerei und Plastik zurückgriff, die er in Abbildungen kennen gelernt hatte. Für die Darstellung auf unserem Becher hat er sich die Marmorgruppe ›Venere e Amore‹ des klassizistischen italienischen Bildhauers Pietro Tenerani von 1821 zum Vorbild genommen. Sie ist am unteren Rand signiert: »BIMAN«. P.S.

Becher
Friedrich Egermann
Blottendorf, um 1830
Lithyalin mit Hochschliffdekor,
H. 11,6 cm
Inv. Nr. 86/323

In der Biedermeierzeit wurden verschiedentlich Versuche unternommen, die Wirkung von Edelsteinen in Glas nachzuahmen. Am erfolgreichsten gelang dies Friedrich Egermann, der sich in der Glasproduktion als ebenso erfinderisch wie unternehmerisch geschickt erwies. Für seine mittels chemischer Beizen auf geschliffenen farbigen Gläsern hergestellten edelsteinartigen Oberflächen verwendete er, dem Zeitgeschmack entsprechend, den vom griechischen ›lithos‹ (Stein) abgeleiteten Kunstnamen Lithyalin. Hergestellt wurden in dieser Technik vor allem Becher und Flakons. P.S.

Stuhl aus einem Wohnzimmer
Süddeutschland (München?), um 1820
Kirschbaum, Eibenmaserholz auf Fichte furniert, Sessel: H. 90,5 cm
Inv. Nr. 94/246–251

Die schlichte Eleganz des Biedermeier, des ersten bürgerlichen Stils, verkörpern diese Möbel aus Kirschbaumholz, das sich bei den Zeitgenossen besonderer Beliebtheit erfreute. Schon in der Wahl des heimischen Holzes macht sich die Abkehr vom höfischen Prunk mit seiner Vorliebe für kostbare, exotische Materialien bemerkbar. Auch lehnen die Möbel sich nicht mehr an Architekturvorbilder an, sondern geben sich als Erzeugnisse eines selbstbewussten Handwerks zu erkennen. Vor allem aber sind sie erstmals wirkliche Möbel, d.h., sie haben keinen festen, unverrück-

baren Platz im Raum, sondern sind mobil und dienen verschiedenen Funktionen. Um den Wohnzimmertisch etwa versammelt man sich zum Essen, aber auch zu Spiel und Gespräch, zum Lesen und zur Handarbeit. P.S.

Silberpokal
Wilhelm Deimling (1809–1853)
Karlsruhe, 1839
Silber, H. 15,6 cm
Inv. Nr. 87/199

Ein frühes Beispiel für Ehrensilber anlässlich von Jubiläen in der biedermeierlichen Gesellschaft ist mit diesem einfachen, glockenförmigen Becher gegeben. Er wurde dem »Geschaeftsfreunde Heyliger« von der badischen Versorgungsanstalt zum 70. Geburtstag verehrt. R.W.S.

Neogotischer Pokal
Raimund Hotz (1814–1888)
Konstanz, 1845
Kupfer, vergoldet, Rubinglas,
H. 28,2 cm
Inv. Nr. 91/150

Lokalkolorit und Neogotik vereinen sich in diesem Pokal, dessen Funktion nicht bekannt ist. Über dem aus Mauerkränzen bestehenden Sockel erhebt sich ein als Treppenturm gestalteter Schaft – hierbei dürfte es sich um den ›Schnegg‹ genannten, spätgotischen Einbau im Thomaschor des Konstanzer Münsters handeln. Die durchfensterte Kuppa mit Rubinglaseinsatz vermittelt den Eindruck eines diaphanen Baukörpers. R.W.S.

Ofenwandplättchen
Johann Georg Dompert
Simmozheim, 1842 (dat.)
Hellroter Ton, Engobe, Glasurfarbe,
H. 18,7 cm, B. 19 cm
Verschiedene Inv. Nr.

Die Tradition der Ofenwandplättchen im Nordschwarzwald entstand wohl nach dem Vorbild der niederländischen Fayence-Fliesen, die von den bis zur Rheinmündung kommenden Flößern des Schwarzwaldes in der 1. Hälfte des 18. Jahrhunderts mitgebracht wurden. Mit einer Vielzahl dieser Plättchen aus gebranntem Ton wurde der gusseiserne Ofen gegen die Zimmerwand abgeschirmt, zum Schutz vor Überhitzung und daraus folgender Brandgefahr. Mit fünf namentlich bekannten Hafnern aus drei Generationen versorgte die Familie Dompert aus Simmozheim vor allem den württembergischen Schwarzwald zwischen Nagold und kleinem Enztal mit Gebrauchsgeschirr. Johann Georg Dompert (1788–1835) und sein Sohn Johann Georg (1819–1889) konzentrierten sich auf die Herstellung von Ofenwandplättchen. Sie verwendeten hellroten Ton, die Vorderseite ist mit weißer Engobe versehen. Charakteristisch sind die rot und manganbraun gemalten naiven Figuren und die zahlreichen, oftmals derben und auffallend »weiberfeindlichen« Sprüche. Ihre Wände bilden eine Fundgrube der Bauern- und Handwerkerweisheit. »Sie sind gewissermaßen aufgeschlagene Lesebücher für das bäuerliche Volk« (Hillenbrand). W.M.

Revolution 1848/49

In der demokratischen deutschen Revolution von 1848/49 gehörte die Bevölkerung im Großherzogtum Baden zu den treibenden und radikalen Kräften. Schon im Herbst 1847 wurden durch die Volksführer Hecker und Struve die Forderungen nach Meinungs-, Presse- und Versammlungsfreiheit sowie soziale Gerechtigkeit erhoben. Als im März 1848 im ganzen deutschen Reich der Aufruhr begann, verließen sich Badens Wortführer nicht auf die Einberufung der Nationalversammlung in der Frankfurter Paulskirche, sondern setzten auf die bewaffnete Mobilisierung des Volkes zur Eroberung seiner Rechte. Der ›Heckerzug‹ im April 1848 und Struves Aufstand im Herbst des Jahres wurden niedergeschlagen. Als im Mai 1849 die Frankfurter Nationalversammlung gescheitert war, entstand in Baden nach der Flucht des regionalen Großherzogs eine provisorische Republik mit dem ersten frei gewählten Parlament auf deutschem Boden. Nach wenigen Wochen bereiteten ihr jedoch preußische Truppen ein gewaltsames Ende. Über 40 000 Menschen in Baden wurden strafrechtlich verfolgt, 80 000 wanderten nach Amerika aus.

H.S.

Johannes Grützke (geb. 1937)
Entwurf zur Wandkeramik ›Heckerzug‹, 1998 (Mittelbild)
Dauerleihgabe aus Privatbesitz

Der badische Volksrevolutionär Friedrich Hecker zeigt sich zum 150. Jubiläumsjahr in einem Keramikwerk erneut an dem Gebäude, von dessen Balkon er zum Aufstand gegen das Großherzogtum aufrief.

Pokal für den Abgeordneten Carl Hoffmann

E. L. und Ch. F. Deimling
Karlsruhe, 1842
Silber, H. 31 cm
Inv. Nr. 94/792

Die »freien Bürger des VIII. Städtewahlbezirks Carlsruhes« bedachten den »Überzeugungsfesten Manne und unerschrockenen Vertheidiger der Volkrechte. Carl Hoffmann« mit diesem Pokal. Dieses politische Denkmal nimmt Bezug auf die badische Revolution 1848/49. Hoffmann war Staatsrat und Finanzminister der Märzregierung. R.W.S.

Ofenwandplättchen mit Darstellungen von Friedrich Hecker und Gustav Struve
Christian Gottlieb Neubold
Ölbronn, um 1848/49
Roter Ton, weiß engobiert, bemalt, H. 24 cm, B. 19 cm
Inv. Nr. 2000/1140, 2000/1141

Die badischen ›Revolutionshelden‹ Hecker und Struve wurden vielfach auf Gebrauchsgegenständen abgebildet, die allerdings meist nach dem Scheitern der Revolution aus Angst vor der Obrigkeit beseitigt wurden. Im nördlichen Schwarzwald fanden sie auch Eingang in die Herstellung von Wandfliesen, die die Wände hinter dem Stubenofen vor Feuerübergriffen schützten. H.S.

Medaille auf die provisorische Regierung Baden-Pfalz
Baden oder Pfalz, 1849
Blei, Dm. 4,8 cm
Inv. Nr. Ba 5004

In der Mitte die Inschrift »BADEN/ PFALZ« darum: »PROVISORISCHE REGIERUNG MAY 1849«. Die auf dieser sicher in einer bescheidenen privaten Werkstatt entstandenen Medaille genannte provisorische Regierung Baden-Pfalz wurde jedoch nie Realität. Zwar wünschten sich auch badische Revolutionäre, unter ihnen Gustav Struve, eine politische Verbindung mit der aufständischen Rheinpfalz, doch führten entsprechende Vorstöße zu keinem konkreten Ergebnis. V.S.

Das Gefecht bei Waghäusel am 21. Juni 1849
Ludwig Hoffmeister (1814–1869)
1852
Aquarell auf Papier, H. 76,5 cm, B. 118 cm
Inv. Nr. 95/925

Die badische Revolution 1849 wurde gewaltsam niedergeschlagen. Ein Bundesheer unter preußischer Führung drang nach Baden vor, bei Waghäusel nördlich Karlsruhe errangen sie einen lange unsicher bleibenden Sieg über die volksbewaffneten Demokratentruppen unter der Führung des polnischen Generals Mieroslawski. Danach rollten die auswärtigen Militäreinheiten ganz Baden bis zur Kapitulation der Festung Rastatt auf. Das Bild von Hoffmeister zeigt den effektvollen Aufritt des Heerführers Kronprinz Wilhelm von Preußen (dem späteren Kaiser Wilhelm I.) als Schlachtengewinner. H.S.

1850–1918

Politische, wirtschaftliche und soziale Umbrüche kennzeichneten die Zeit zwischen den Revolutionen von 1848/49 und 1918. In der Revolution von 1848/49 kämpften die radikalen Demokraten in Baden für eine deutsche Republik. Sie gingen damit weit über die Forderungen des liberalen Bürgertums nach einem konstitutionellen Nationalstaat hinaus. Mit der Niederschlagung des Volksaufstandes im Sommer 1849 durch Truppen des Deutschen Bundes unter preußischer Führung war die Revolution auch in Baden endgültig gescheitert. Es folgte eine Phase politischer Reaktion und militärischer Besetzung. 1860 beendete die ›neue Ära‹ die Reaktionszeit. Der seit 1852 regierende Großherzog Friedrich I. (gest. 1907) berief die größte Landtagsfraktion, die bis dahin oppositionellen Liberalen, in die Regierung. Baden galt als das ›liberale Musterland‹ unter den deutschen Staaten. Das Besitz- und Bildungsbürgertum formte das gesellschaftliche und politische Leben des Landes. 1871 wurde Baden Teil des neu gegründeten Deutschen Reiches. Der Erste Weltkrieg und die Revolution von 1918 beendeten die Zeit des Großherzogtums, an seine Stelle trat die Demokratische Republik Baden. Die Industrialisierung veränderte das Agrarland Baden. Immer mehr Menschen arbeiteten in Fabriken. In stetig größerer Zahl zogen sie in die rasch wachsenden Städte. Arbeit und Alltagswelt wandelten sich durch technische Innovationen. Mobilität bestimmte das Leben. Mit diesen Entwicklungen gingen wirtschaftliche und soziale Ungleichheiten einher. Die ›Soziale Frage‹ prägte die Zeit. Die organisierte Arbeiterschaft strebte nach politischer und wirtschaftlicher Emanzipation. Gegen Ende des Jahrhunderts trat neben die ›Soziale Frage‹ die ›Frauenfrage‹. Im Großherzogtum setzte sich der Badische Frauenverein, der größte Verein des Landes, für die Teilnahme von Frauen am öffentlichen Leben ein. F.L.

Claude Wall (geb. 1951)
Weltglobus, 2000

Die Welt besteht nur aus einem einzigen Kontinent: Baden.

Ehrenkranz
Lithographie nach Vorlagen von Johann Grund und Franz Xaver Winterhalter
Karlsruhe und St. Petersburg, 1856
Kreidelithographie, Saatgut, Beeren, Papierblätter, H. 75 cm, B. 61 cm, T. 12,5 cm
Inv. Nr. 95/1189

Wenige Tage nach seiner Proklamation zum Großherzog heiratete Friedrich I. von Baden am 20. September 1856 die preußische Prinzessin Luise, die Tochter des späteren deutschen Kaisers Wilhelm I. Dieses Bündnis festigte das Verhältnis zwischen Baden und Preußen. Friedrich I. trat für eine deutsche Einigung unter preußischer Führung ein. Die preußenfreundliche Haltung des Großherzogs fand zunehmend die Unterstützung des liberalen Bürgertums. Zur Hochzeit des Großherzogpaares überreichten neben Gemeinden und Institutionen auch Einzelpersonen Geschenke. Bei dem Ehrenkranz dürfte es sich um die Gabe eines Einzelnen handeln. Ein Blumenkranz zählte im 19. Jahrhundert zur Ausstattung der Braut. Zur Erinnerung wurde er als gerahmter Wandschmuck aufbewahrt. F.L.

Uhrschildentwurf
Lucian Reich (1817–1900)
Hüfingen, Mitte 19. Jh.
Bleistiftskizze auf Papier, mit Ölfarbe ausgemalt, H. 30,5 cm, B. 22,6 cm
Inv. Nr. Ca 2136

Die Uhrmacherei im Schwarzwald befand sich in der Mitte des 19. Jahrhunderts in einer schweren Krise. Zu ihrer Unterstützung wurde 1850 die großherzoglich badische Uhrmacherschule in Furtwangen eingerichtet. In einem Aufruf an die ›vaterländischen Künstler‹ warb man seitens der Schule um neue Entwürfe für Uhren. Viele Uhrschildentwürfe stammen von der Hand des Hüfinger Malers Lucian Reich, der beschauliche Genreszenen aus dem Schwarzwald zeichnete. Seine Skizzen erschienen in der Lithographieserie ›Musterblätter für die Uhrschildmalerei des Schwarzwaldes‹. Ihr Herausgeber stellte Vordrucke her, die die Schildermaler direkt auf die Holz- oder Blechuhrschilder umdrucken konnten.

F.L.

Prunkgefäß ›Navicello‹
Charles Duron, Goldschmied (1814–1872) und Charles Lepec, Emailleur (1830 – nach 1880)
Paris, 1867
Gold, Silber, vergoldet, Email, Edelsteine, L. 35,5 cm
Inv. Nr. 76/119

Der als ›König des Emails‹ bezeichnete Maler Lepec erneuerte das in Vergessenheit geratene Email und führte verschiedene Möglichkeiten des Gold- und Maleremails zusammen. In weichzeichnerischer Manier schildert er zwei Szenen aus dem Andromeda-Mythos. Auch der Gefäßtypus, hier wohl nach Entwurf der Gebrüder Fannière gestaltet, verweist ins 16./17. Jahrhundert. R.W.S.

Gesellschaftskleid
Französisch, um 1865–1867
Taft, Samt, Glassteinchen, vordere Länge: 134 cm
Inv. Nr. 98/494

Charakteristisch für die Damenkleidung der Zeit zwischen 1850 und 1870 sind die weit ausladenden Kuppelröcke. Als Vorbild dienten die Reifröcke der höfischen Mode des 18. Jahrhunderts. Daher bezeichnet man diesen Kleidungsstil auch als ›Zweites Rokoko‹. Im 18. Jahrhundert war es allein den Damen von Adel vorbehalten, dieses Kleidungsstück zu tragen. Derart exklusive Standesbeschränkungen waren im 19. Jahrhundert jedoch nicht mehr gegeben. Die wirtschaftliche und politische Bedeutung des Bürgertums war zu groß geworden. Soziale Unterschiede zeigten sich nun mehr im Detail. Ein so aufwendig verarbeitetes Gesellschaftskleid wie dieses französische Modell aus Taft und Samt konnten sich nur sehr wenige leisten. K.K.

Zug der grünen Hochzeit
Heinrich Issel (1854–1934)
Karlsruhe, 1892
Öl auf Leinwand, H. 130 cm, B. 350 cm
Inv. Nr. 95/921c

Die monumentale Arbeit Heinrich Issels beschließt den 1886 von Johann Baptist Tuttiné begonnenen dreiteiligen Gemäldezyklus ›Festzug der badischen Landesbevölkerung‹. Darge-

stellt ist der Auftritt badischer Trachtengruppen vor dem Residenzschloss, wie ihn die Stadt Karlsruhe 1881 im Rahmen eines historischen Festzuges organisiert hatte. Die gezeigten Trachten waren teilweise historische Originale, wurden jedoch aus diesem Anlass auch neu angefertigt. Der Trachtenaufzug mündete in die Anlage einer volkskundlichen Sammlung und bildete den Auftakt zu einer weit ausgreifenden Trachten- und Heimatschutzbewegung. B.H.

Bollenhut
Gutach, 2. Hälfte 19. Jahrhundert
Stroh, Wolle, Kalk, Dm. 33 cm
Inv. Nr. P 25

Der Strohhut mit den Wollapplikationen war ein Ausstattungsteil der Frauentracht aus Gutach. Unverheiratete Frauen trugen rote Bollen. Zum Kleid der Verheirateten gehörte der Hut mit schwarzen Wollkugeln. Bereits gegen Ende des 19. Jahrhunderts waren Tracht und Bollenhut zu einem Synonym für den gesamten Schwarzwald geworden. Als Motiv fand die Bollenhuttracht besonders in der Werbegrafik der Zeit Verwendung. Zur Entdeckung der Tracht aus Gutach hatte vor allem die dortige Malerkolonie beigetragen. Besonders ihre beiden bekanntesten Vertreter Wilhelm Hasemann (1850–1913) und Curt Liebich (1868–1937) machten sie populär. F.L.

Hotzenwälder Frauentracht
Amt Waldshut, Rickenbach oder Herrischried, 2. Hälfte 19. Jh.
Leinen, Wollstoffe, Seide, Samt, Silberstickerei, diverse Maße
Inv. Nr. P 8

Die Tracht des Hotzenwaldes, des südlichsten Schwarzwaldausläufers, reicht kostümhistorisch in das 17. Jahrhundert zurück. Signifikant ist für die Frauentracht der ›Schnotzhut‹,

ein weiß gekalkter, vierfach hoch aufgestülpter Strohhut. Oft wurde er mit Baumwollblüten oder Seidenblumen als Schmuckelement verziert – einem Indiz für die dort in Heimarbeit betriebene Baumwollspinnerei und Seidenbandweberei. B.H.

Plakat »Oberrheinische Gewerbeausstellung Freiburg i. Br. 1887«
Entwurf: Max Honegger, Karlsruhe
Druck: Ernst Kaufmann, Lahr, 1887
Chromolithographie, H. 88 cm, B. 68 cm
Inv. Nr. 95/279

Über 1200 Aussteller aus Baden und dem Elsass zeigten im Jahre 1887 Industrie- und Verbrauchsgüter auf der Gewerbemesse in Freiburg, die der dortige Gewerbeverein organisiert hatte. Seit den 20er Jahren des 19. Jahrhunderts gründeten Handwerker und Fabrikanten Vereine, um ihren Mitgliedern die neuesten technischen und wirtschaftlichen Errungenschaften bekannt zu machen. Gewerbeausstellungen richteten sich an Fachpublikum und Verbraucher. Eine touristische Attraktion der Freiburger Gewerbemesse war das für die Ausstellung gebaute Schwarzwaldhaus. Seine ›Bewohner‹ führten Strohflechterei und Uhrmacherei vor. Der Tourismusförderung diente auch die zur gleichen Zeit eröffnete Höllentalbahn zwischen Freiburg und Neustadt, die den Hochschwarzwald für den Fremdenverkehr erschloss. F.L.

Kredenz
Karlsruhe, um 1880
Ausführung: Fa. Himmelheber
Eiche, Nussbaum, H. 161 cm, B. 130 cm, T. 59 cm
Inv. Nr. 73/55

Die Kredenz im Stil des Historismus ist Teil eines Speisezimmers aus einem großbürgerlichen Palais in Karlsruhe. Typisch für den Historismus ist die Nachahmung und Kombination verschiedener Stile vergangener Epochen.

An der Kredenz finden sich beispielsweise Ornamente der Renaissance und des Barock. Der pompöse Stil des Historismus ist Ausdruck des aufstrebenden Bürgertums nach der deutschen Reichseinigung 1870/71. K.K.

Sog. ›Scheffeluhr‹
Entwurf und Malerei:
Hermann Götz, Karlsruhe
Gehäuse: Möbelfabrik
August Gehrig, Karlsruhe
Uhrwerk: AG für Uhrenfabrikation, Lenzkirch
Spielwerk: Emilian Wehrle & Cie., Furtwangen
Karlsruhe, vor 1887
Holz, Eisen, Zinn, Ölmalerei,
H. 260 cm
Inv. Nr. 95/968

Gründerzeitarchitektur und Schwarzwaldromantik verbinden sich unter Verwendung unterschiedlichster Materialien zu einem Denkmal des badischen literarischen ›Nationalhelden‹ Joseph Viktor von Scheffel (1826–1886). Die aufwendige Ausstattung der Uhr nimmt in der Malerei und im Schnitzwerk Bezug auf seine überaus populäre Verserzählung ›Der Trompeter von Säkkingen‹ (1854), die kurz vor Entstehung der Uhr 1884 von V. E. Nessler vertont wurde. Die Uhr wurde 1887 auf der ›Konkurrenz-Ausstellung deutscher Kunstschmiede-Arbeiten in Karlsruhe‹ präsentiert und gelangte dann in großherzoglichen Besitz. R.W.S.

Büsten aus dem Atelier Kopf, Baden-Baden
Josef von Kopf (1827– 1903)
Baden-Baden, um 1875
Gips, diverse Maße
Verschiedene Inv. Nr.

Der Bildhauer Josef von Kopf zählte zu den bekannten Künstlern im deutschen Kaiserreich. Adel und Bürgertum schätzten seine naturalistischen Porträts. Zu seinen Förderinnen

gehörte Kaiserin Augusta, die Mutter der Großherzogin Luise. Während eines Baden-Baden-Aufenthaltes des in Rom lebenden Künstlers ließ sich die Kaiserin 1874 porträtieren und verschaffte Josef von Kopf die Aufmerksamkeit des mondänen Kurorts. Noch im gleichen Jahr schenkte Großherzog Friedrich I. dem Bildhauer ein Atelier in Baden-Baden und verpflichtete ihn, einmal im Jahr dort zu arbeiten. Neben der großherzoglichen Familie weilte auch das Kaiserpaar regelmäßig in Baden-Baden. Kopf schuf in der Folgezeit zahlreiche Porträts Kaiser Wilhelms I., die ihn weithin bekannt machten. Das von Kopfsche Atelier wurde ein künstlerischer Anziehungspunkt des Kurorts und seiner finanzkräftigen Gäste. F.L.

Brettstuhllehne
Entwurf: Hans Thoma (1839–1924)
Karlsruhe, um 1900
Ausführung: Johann Bregger, Bernau
Birnbaumholz, H. 58 cm, B. 35 cm
Inv. Nr. 85/243

Erst im 19. Jahrhundert wurde der Stuhl ein massenhaft benutztes Möbel. Die weitverbreitetste Form war der Brettstuhl. Zunehmend galt er als ländliches Möbel und wurde geradezu zum ›Bauernstuhl‹. Nach der Adaption historischer Stile für Möbel und Hausrat entdeckte man ab den 1890er Jahren auch regionale Handwerktraditionen als Vorlage. Zur sog. ›Volkskunst‹ aufgewertet, bemühten sich Kunstgewerbebewegung und Gewerbeförderung um deren Wiederbelebung. ›Volkskunst‹ als Stil ließ sich besonders mit den naturalistischen Ansätzen im Jugendstil verbinden. Der aus Bernau stammende Maler Hans Thoma entwarf 1900 eine Serie von 12 Motiven für Brettstühle in Flachschnitzerei. Für die Ausführung war Johann Bregger, der Leiter der Furtwanger Zweigschule für Schnitzerei in Bernau, verantwortlich. Die Schnitzereischule Furtwangen war im Zusammenhang mit der großherzoglichen Uhrmacherschule entstanden und förderte die kunstgewerbliche Schwarzwälder Schnitzerei für Uhrenindustrie und Andenkenartikel. F.L.

Knabenuniformen
Deutsch, um 1912/1915
Baumwollköper, Wollköper, Pappe, Metall, Leder, diverse Maße
Inv. Nr. 91/83 a-d, 91/84 a-c, 91/85 a-d

Mit sechs Jahren erhielt der 1906 in Karlsruhe geborene Helmut Schneider eine Paradeuniform, zu der eine Pickelhaube aus Pappe, eine Mütze und ein Spielzeugdegen gehörten. Die Uniform besteht aus einem Overall und einem separaten Schurz, so dass der Eindruck eines Anzugs aus Jacke und Hose entsteht. Die feldgraue Spieluniform mit Schulterstücken im Leutnantsrang, Mütze und Säbel trug der Junge im Alter von neun Jahren. Ab dem letzten Drittel des 19. Jahrhunderts fand eine massive Aufrüstung im bürgerlichen Kinderzimmer statt. Mit der Einführung der allgemeinen Wehrpflicht war das Militär zur ›Schule der (männlichen) Nation‹ geworden und nicht mehr, wie ein Jahrhundert zuvor, eine Sache adliger Offiziere und ärmster Unterschichten, aus denen sich das Heer rekrutierte. Das Großmachtstreben und der Nationalismus des Kaiserreiches stützten sich auf das Militär und führten zur Militarisierung des Alltags. F.L.

Schmuckrahmen
Deutsch, 1910–20
Obstholz, Pappe, Fotografie, Myrte
H. 54 cm, B. 44 cm, T. 5 cm
Inv. Nr. 89/29-7

Hochzeitserinnerungen wie diese waren bis in die 1920er Jahre hinein als Wandschmuck sehr verbreitet und Teil einer ausgeprägten Andenkenkultur bäuerlicher und kleinbürgerlicher Haushalte. Typisch ist die Mischung aus persönlichen Requisiten (Hochzeitsfotografie, Brautkranz und Ansteckstrauß) mit einer standardisierten Montage in vertieftem Rahmen und aufgedrucktem Sinnspruch. B.H.

Bildpostkarte »VII. Sängertag des Deutschen Arbeitersängerbundes Gau Baden«
Verlag Geschwister Moos, Karlsruhe, 1913
Offsetdruck, H. 9 cm, B. 14 cm
Inv. Nr. 99/210

Freiheit, Vorwärts oder Gleichheit hießen viele der badischen Arbeitersänger- und Sängerinnenchöre, die 1913 zu ihrem Bundestreffen in die

ungeschmückte Feststadt Karlsruhe kamen. Die Stadtratsmehrheit hatte sich gegen den bei Sängerfesten üblichen Flaggenschmuck ausgesprochen. Die Arbeitersänger waren die größte Gruppe innerhalb der Arbeiterkulturbewegung im Umfeld der Sozialdemokratie. Nach dem Ende der Sozialistengesetze 1890 konnten sie sich entfalten. Der Männergesang galt im 19. Jahrhundert als eine moralisch politische Institution. Er war zunächst eine Form bürgerlicher Opposition gegen die Fürstenherrschaft gewesen und entwickelte sich mehr und mehr zu einer nationalen Bewegung. Die Arbeitersänger grenzten sich von den bürgerlichen Sängervereinen ab und verstanden sich als klassenkämpferisch und sozialistisch. F.L.

Vase im Dekor ›Rembrandt‹
Werksentwurf: Villeroy & Boch
Schramberg, wohl vor 1912
Majolika, H. 19 cm, B. 20,5 cm,
Fuß Dm. 9,5 cm
Inv. Nr. 90/360-54

Keramische Objekte mit Schwarzwaldhaussujet waren bis in die 20er Jahre des 20. Jahrhunderts hinein populäre Produkte der Schramberger Keramikproduktion. Motivisch stehen sie in der weit älteren Tradition Schwarzwälder Bildergeschirre, jedoch sind die Dekore malerischer und in ihrer Grundtonigkeit braungelb. Dem anwachsenden Fremdenverkehr boten sich mit dieser folkloristisch dekorierten, aber zugleich auch noch künstlerisch ansprechenden Ware willkommene Reisesouvenirs. B.H.

Bronzemedaille
Benno Elkan (1877–1960)
Alsbach an der Bergstraße, 1915
Bronze, Dm. 9,7 cm
ohne Inv. Nr.

Ein unbekleideter Jüngling stürzt sich enthusiastisch zur Devise »STIRB UND WERDE« in lodernde Flammen. Bildmotiv und Zitat sind Goethes 1814 entstandenen und 1819 in den ›West-östlichen Divan‹ aufgenommen Gedicht ›Selige Sehnsucht‹ entnommen. Elkan, dessen Lebenswerk in der Großen Menorah vor der Knesset in Jerusalem gipfelte, schuf diese Medaille auf Anregung von Julius Menadier, dem damaligen Direktor des Königlichen Münzkabinetts in Berlin. Sie ist dem Andenken an den Mannheimer sozialdemokratischen Reichstagsabgeordneten Dr. Ludwig Frank gewidmet, der als Kriegsfreiwilliger am 3. September 1914 in Frankreich ein Opfer des Weltkrieges wurde. Menadier war der Initiator einer ganzen Reihe von Kriegsmedaillen mit teils deutschnational-chauvinistischem Pathos. P.-H.M.

Fähnchen »Asyl Scheibenhardt«

Deutsch, vor 1918

Seidentaft, H. 20, B. 13,5 cm

Inv. Nr. 95/1332

Das bei Karlsruhe gelegene Schloss Scheibenhardt diente seit 1890 als Zwangserziehungshaus für strafentlassene Mädchen. Der badische Frauenverein hatte Scheibenhardt zunächst als Asyl gegründet, in das Frauen nach ihrer Haftentlassung freiwillig eintreten konnten. Ziel war es, Frauen und Mädchen in Haushaltsarbeiten zu unterrichten und sie als Dienstmädchen zu vermitteln. »Die Hand bei der Arbeit – Das Herz bei Gott« war ein Motto des badischen Frauenvereins. Der 1859 durch die Großherzogin Luise gegründete Verein war die größte Frauenorganisation in Baden. Er widmete sich karitativen und sozialen Aufgaben. Im Rahmen des vorgegebene Frauenbilds kämpfte der Verein für Mädchenbildung und den Zugang zu sog. frauenspezifischen Berufen. F.L.

1918–2000

Die politischen, technischen, wirtschaftlichen und kulturellen Entwicklungen des 20. Jahrhunderts bringen in mehreren Schüben einen radikalen Wandel und Umbruch mit sich, der tief in die Lebensweise jedes Einzelnen eingreift. Neue Verkehrs- und Kommunikationsmittel erhöhen die individuelle Mobilität, bringen die Menschen einander näher und beschleunigen sämtliche gesellschaftlichen Prozesse. Neue Energieformen, Technologien und Werkstoffe revolutionieren die volkswirtschaftliche Produktion und den häuslichen Lebensraum. Wirtschaftliche Produktivität und gesellschaftliche Prosperität, Urbanisierung, Politisierung, Individualisierung und deren jeweilige Kehrseiten sind äußere Faktoren, die den Alltag prägen. In immer kürzeren Zyklen bestimmen ›Moden‹ und ›Stimmungen‹ das gesellschaftliche Leben. Auch der gesellschaftspolitische Rahmen ist von dieser außerordentlichen Dynamik bestimmt. Innerhalb zweier Generationen wandelt sich die Staatsform mehrfach grundlegend: Die Monarchie geht in die Republik über, die der Totalitarismus des ›Dritten Reichs‹ beendet, der wiederum staatspolitisch von einer erneuten parlamentarischen Demokratie abgelöst wird. Zwei Weltkriege verbreiten nie zuvor erlebtes Entsetzen und konfrontieren jeden Einzelnen mit existenziellen Nöten. Unter diesen unterschiedlichen politischen Bedingungen gestaltet sich das gesellschaftliche Leben jeweils sehr differenziert. Im alltäglichen Lebensvollzug und dem, was davon materialisiert in die Museumssammlungen gelangte, bilden sich diese komplexen Verhältnisse wiederum sehr individuell geprägt ab. Die Vielfalt der kulturgeschichtlichen Prozesse kann letztlich nicht visualisiert werden. B.H.

Alexander Winn (geb. 1958)
Deutsche Last, 1993

Winn thematisiert die Verdrängung der deutschen NS-Geschichte im Bild des weißen Leinenstapels über den in Konservengläsern verpackten Opferbildern.

Notgeldschein
Alfred Kusche (1884–1984)
Karlsruhe, 1923
Papier, H. 8,7 cm, B. 14,5 cm
ohne Inv. Nr.

Während der großen Inflation von 1919–1923 ließ auch die Stadt Karlsruhe eigenes Notgeld drucken. Der im Februar 1923 ausgegebene Schein im Nennwert von 10 000 Mark zeigt auf der Vorderseite die Wiedergabe des Aquarells ›Das Goldwaschen bei Carlsruhe‹ von Johann Michael Voltz (1823) und dazu den Spruch »Gold des Rheines münzten einst die Väter hier/ Enkel drucken heute Nullen auf Papier«. Auf dem Kübel, der neben dem Goldwäscher steht, der dem Beschauer das Gesäß zukehrt, hat der Künstler die formelhafte Abkürzung des ›Schwäbischen Grußes‹ LMA^2 angebracht, um seine und seiner Zeitgenossen Meinung zur politischen und wirtschaftlichen Situation nach dem Ersten Weltkrieg zum Ausdruck zu bringen. P.-H. M.

Staatswappen der Republik Baden
Heinrich Ehehalt (1879–1938)
Majolikamanufaktur Karlsruhe, 1921
Majolika, H. 25,5 cm, B. 31,8 cm, T. 3 cm
Inv. Nr. 76/193

Am 19.10.1920 wurde der Karlsruher Künstler Ehehalt mit der Ausfertigung von Wappen und Dienstsiegel für die Republik Baden beauftragt. Das seit 1830 gültige badische Staatswappen sollte dabei nicht grundlegend erneuert, sondern heraldisch lediglich geringfügig modifiziert werden. Die wesentlichen Teile des alten badischen Stammwappens blieben somit erhalten, jedoch kreierte Ehehalt mit seiner querovalen Bildkomposition eine ungewöhnliche Wappenform. B.H.

Kochbuch der EGA Gaggenau
Nach einem Emailwerbeplakat von C. Robert Dold
Offenburg, um 1919/20
Rotationsdruck, H. 20,6 cm, B. 13,5 cm
Inv. Nr. 97/352

Auch nach der Einführung neuer Energieträger wie Gas und Elektrizität blieb das multifunktionale Konzept des ›Sparherdes‹ (mehrteilige Kochflächen, die hygienische Weißfärbung und die gezielte Nutzung der Abwärme) erhalten. Die modernen Herde, wie dieses sehr frühe Gasherdmodell der Eisenwerke Gaggenau, waren in der Handhabung zudem noch ›kinderleicht‹ zu bedienen – allerdings fanden sie erst nach dem Zweiten Weltkrieg eine große Verbreitung. B.H.

Mandoline
Musikinstrumentenfabrik
Meinel & Herold, Klingenthal/Saale, 1925/26
Diverse Hölzer, L. 60 cm, B. 19,5 cm, T. 14 cm
Inv. Nr. 2000/4

Signifikant für gesellschaftliche Neuerungen des 20. Jahrhunderts ist die Ausbildung von Jugendbewegungen. Neben der ›bündischen Jugend‹ um den ›Wandervogel‹ sowie der konfessionell gebundenen Jugend konstituierte sich auch eine Arbeiterjugendbewegung, der auch die sozialdemokratische ›Sozialistische Arbeiterjugend‹ zuzurechnen ist. Die Mandoline stammt aus dem Orchester der sozialistischen Arbeiterjugend des SPD-Ortsvereins Rotenfels, das von 1920 bis 1933 bestand. B.H.

Küchenschrank aus der Dammerstock-Siedlung Karlsruhe
Entwurf: Walter Gropius, 1929
Ausführung: Billing & Zoller, Karlsruhe
Nadelholz, lackiert, H. 201 cm, B. 77 cm, T. 51 cm
Inv. Nr. 97/243

Die 1929 unter der Oberleitung von Walter Gropius errichtete Dammerstock-Siedlung gehört zu den wichtigsten Zeugnissen des ›Neuen Bauens‹ der 20er Jahre in Deutschland. Sie stellt ein Modell des Wohnungsbaus für Bevölkerungsschichten mit geringem Einkommen dar, das damals heftig diskutiert wurde. Die Siedlung umfasst

Ein-, Zwei- und bis zu viergeschossige Mehrfamilienhäuser. Die aus Kostengründen knapp bemessene Wohnfläche – für die Küche standen durchschnittlich 7 qm zur Verfügung – verlangte von den beteiligten Architekten rationelle Grundrisslösungen. Zur Standardausstattung gehörten daher Einbauküchen, deren Einteilung die Arbeitsabläufe möglichst funktional gestalten sollte. Der hier gezeigte Schrank, der aus einem zweitürigen Unterteil mit linoleumbelegter Platte und einem aufgesetzten Oberteil besteht, stammt aus dem von Walter Gropius errichteten viergeschossigen Laubenganghaus. Das Möbel war ursprünglich weiß lackiert und hatte schwarze Holzknäufe. P.S.

Mokkaservice
Pforzheim, 1928
Silber, Elfenbein, verschiedene Maße
Inv. Nr. 80/405

Die in der ›Goldstadt‹ Pforzheim ansässige Badische Kunstgewerbe- sowie Goldschmiedeschule waren herausragende Ausbildungsstätten für die Edelmetallindustrie und das Kunsthandwerk im süddeutschen Raum. Profilierten Lehrern wie Richard Anke, Philipp Oberle, Alfons Ungerer, Theodor Wende u.a.m. gelang es, im Spannungsfeld expressionistischer sowie der puristischen Sachlichkeit verpflichteter Tendenzen eine individualistisch geprägte Formensprache zu entwickeln, die weit über die Grenzen der Stadt wirkte. R.W.S.

Teller
Georg Schmieder-Erbengemeinschaft, Zell am Harmersbach, 1935
Werksentwurf
Steingut, Dm. 17 cm
Inv. Nr. 94/231-2

Im Jahr 1935 erhielt die Zeller Manufaktur den Auftrag, für das im September 1933 gegründete Winterhilfswerk eine Serie von fünf Ziertellern herzustellen. Dem Bildmotiv dieses Tellers liegt das »Seiffener Reiterlein« zugrunde, das als Holzminiatur eines der klassischen Produkte der Erzgebirgischen

Holzwarenindustrie war und ebenfalls 1935 als WHW-Abzeichen in 13,6 Mio. Exemplaren verkauft wurde. B.H.

Scherzfigur
Englisch (?), 1941
Ausländisches Industriefabrikat
Stuckgips, Baumwollstoff, H. 12 cm
Inv. Nr. 93/300

Als besonders subtiles Mittel der Kriegspropaganda gegen das ›Dritte Reich‹ und seinen ›Führer‹ ist diese Spottfigur zu verstehen, denn gerade der scharfe Kontrast zur politischen Realität steigert deren tragische Komik. Während Hitler 1941 lange nicht mehr nur mit diplomatischen ›Nadelstichen‹ politische Akzente setzte, sondern das deutsche Heer in ganz Europa, Asien und Afrika blutige Realitäten schuf, erscheint er hier trivialisiert in Gestalt eines Nadelkissens. B.H.

Gasmaske in Blechbüchse
Deutsch, 1940–45
Blech, Kunststoff, H. 18 cm,
Dm. 14,5 cm
Inv. Nr. 90/359-76 und 90/359-77

Der Bombenkrieg sowie die ihn begleitenden Schutzmaßnahmen und -gerätschaften gehörten zwischen 1940 und 1945 zur Alltagserfahrung der ›Kriegsgeneration‹. Kellerräume und Luftschutzbunker boten jedoch oft nur unzureichend Schutz, und auch der Einsatz der »Volksgasmaske« erweckte eine trügerische Sicherheit. Denn getötet haben nicht die gefürchteten und nie eingesetzten Senfgas-, sondern Spreng- und Brandbomben. B.H.

Aufkleber
Deutsch, 1950
Tiefdruck, laminiert, H. 14,8 cm,
B. 10,4 cm
Inv. Nr. 99/209

Die Auseinandersetzungen um die am 9.12.1951 realisierte Volksabstimmung zur Bildung eines ›Südweststaates‹ waren überaus emotionsgeladen, prägten das badisch-württembergische Verhältnis nachhaltig und führten zur massenhaften Verbreitung politischer Karikaturen. Die Arrondierungsgegner (»Altbadener«), um deren Propaganda es sich hier handelt, vertraten ein stark föderales Konzept mit einer europäischen Ausrichtung des Kultur- und Wirtschaftsraumes Rheintal. Das positive Votum des bevölkerungsreicheren württembergischen Landesteiles jedoch führte zum Sieg der Zentralisierungskräfte und damit 1952 zur Konstituierung des Bundeslandes Baden-Württemberg. B.H.

Reisesouvenir
Italienisch, Mitte 1950er Jahre
Holz, Muscheln, Masse-Figur,
elektrifiziert, H. 16 cm, B. 38 cm
Inv. Nr. 97/441

Fernweh und Reisesehnsucht trieb vor allem nach der Erleichterung des europäischen Grenzverkehrs 1956 viele Deutsche in den Süden, meist nach Italien, dem Hauptreiseziel des frühen Massentourismus. Fast jeder brachte Souvenirs als Trophäen mit nach Hause. Besonders beliebt waren Dekorationsstücke, in denen sich unausgesprochene Stereotypen und Klischees neben persönlichen Erinnerungen widerspiegeln. B.H.

Cocktailkleid
Christobal Balenciaga
Paris, um 1955
Seidenkrepp, Seidensatin, L. ca. 95 cm
Inv. Nr. 88/153

Neue Formen der Geselligkeit und damit auch neue Kleidungscodes bestimmten die Wirtschaftswunderära.

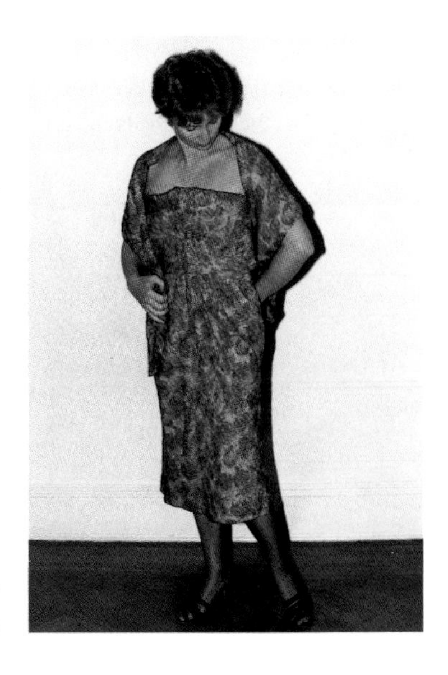

Die komplizierte Konstruktion des Korsagenkleids mit Schalteil, der auf unterschiedliche Weise drapiert werden kann, und der verwendete Seidenkrepp mit eingewebtem Muster in verschiedenen Grüntönen eigneten sich für die Cocktailparty am frühen Abend, bei der ein kurzes, aber festliches Kleid erwartet wurde. B.H.-S.

Werbeplakat
Herbert Leupin (geb. 1916)
Obpacher AG, München, 1955
Offsetdruck, H. 118 cm, B. 84 cm
Inv. Nr. 93/959-1 und 2

Von 1952 bis 1955 umwarb die Firma Henkel ihr Spülmittel »Pril« mit dem markanten Slogan »Pril entspannt das Wasser«. Dieser Spruch, der schnell zur alltäglichen Sentenz wurde, suggerierte, dass selbst eine Ente auf dem weichen Spülwasser nicht zu schwimmen in der Lage wäre. Mit der Pril-Ente kreierte der Schweizer Grafiker Leupin einen Werbeklassiker, der das Produkt auf Anhieb zum Marktführer machte. B.H.

Stahlrohrstuhl ›SE 68‹
Egon Eiermann (1904–1970)
Fa. Wilde + Spieth, Oberesslingen, 1951
Stahlrohr, Sperrholz, H. 76 cm,
B. 50 cm, T. 48,5 cm
(Dauerleihgabe Brigitte Eiermann)

Mit seinen funktional-innovativen Möbelentwürfen wurde der Karlsruher Architekt Egon Eiermann zum einflussreichsten deutschen Möbeldesigner der 1950er Jahre. Der 1951 geschaffene Stahlrohrstuhl ›SE 68‹ entwickelte sich dabei aufgrund seiner breiten Einsatzmöglichkeiten in Bibliotheken und Kantinen sowie der von 1952–1993 reichenden Produktionsdauer zu einem der populärsten Eiermann-Modelle. B.H.

Drei Grazien
Emil Sutor (1888–1974)
Karlsruhe-Mühlburg,
Gießerei Carl Metz, 1955
Bronzehohlguss, teilweise grau patiniert, H. 64 cm
Inv. Nr. 76/13

1955 wurde die Wirtschaftshochschule (heute Universität) im Mannheimer

Schloss wieder eröffnet. Aus diesem Anlass hat Emil Sutor die Graziengruppe geschaffen. Die lang gestreckten Körper mit kleinen Köpfen, der Kontrast zwischen rund modellierten und stabförmigen Teilen spiegeln Tendenzen der 50er Jahre und reflektieren Gestaltungsmerkmale des zuvor verfemten Bildhauers Henry Moore. B.H.-S.

Fotoalbum
Vera Konju-Kratzer
Karlsruhe, 1966
Karton, Kunststoff, Fotografien, H. 24,6 cm, B. 24,6 cm
Inv. Nr. 95/129

Aus Alltagsgewohnheiten und Freizeitverhalten stammen die Sujets der ›Knipserfotografie‹, mit deren Hilfe sich die eigene Biografie als visuelle Geschichte dokumentieren lässt. Das wohl breiteste Feld privater Fotografie stellt dabei die Reise- und Urlaubsfotografie dar. In typischer Manier wurden in diesem Fotoalbum persönliche Schnappschüsse, Billetts, Prospekte, Postkarten, Programmzettel etc. zu einem ›Gesamtkunstwerk‹ montiert. B.H.

Schallplatte »Sticky Fingers«
Rolling Stones (gegr. 1961) und
Andy Warhol (1928–1987)
EMI Electrola, 1971
Karton, Vinyl, H. 31,5 cm, B. 31,5 cm
Inv. Nr. 94/16

Als 1971 die LP »Sticky Fingers« erschien, hatten die Rolling Stones den Zenit ihrer Popularität lange erreicht. »Beat zielt auf den Unterleib« – nichts hätte dieses Verdikt der Beat-Generation besser illustrieren können als die Jeans, das paradigmatische Kleidungsstück der Jugend seit den 1950er Jahren. Der Coverentwurf von Andy Warhol reduzierte die Jeans

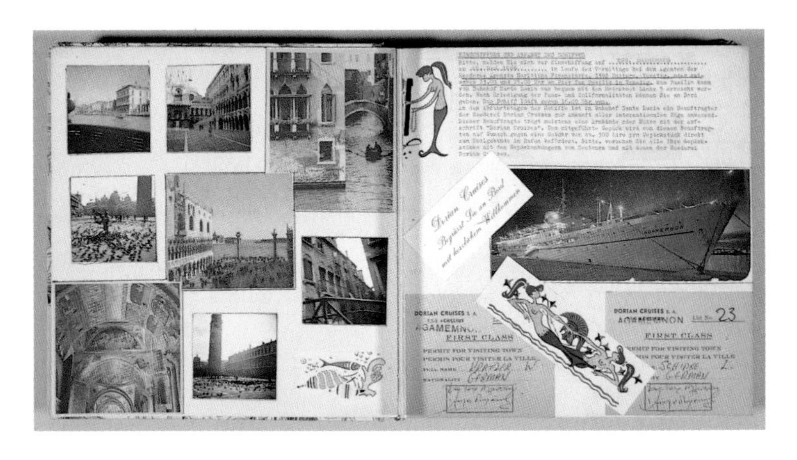

denn auch auf ihren markantesten Teil und trug wesentlich zum Kultstatus der LP bei. Als exponierter Vertreter der amerikanischen Pop Art transformierte Warhol Ware in Kunst, indem er wie hier ein spezifisches Sujet der Trivialkultur zitierte und künstlerisch aufwertete. B.H.

Jutetasche
Bangladesch, um 1980
Jute, H. 39 cm, B. 39 cm
Inv. Nr. 2000/683

Jutetaschen mit dem Aufdruck »Jute statt Plastik« kamen erstmals 1978 in Deutschland auf dem Markt. Bereits im ersten Jahr wurden über eine halbe Million dieser Taschen verkauft. Der allgemeine Trend weg vom Plastik und hin zu natürlichen Materialien war eine Ursache für den Erfolg der Aktion. Zum anderen unterstützte der Verkauf der Taschen Entwicklungshilfeprojekte in Bangladesch. Gerade die Verknüpfung dieser beiden Aspekte und der günstige Preis waren ausschlaggebend für die große Resonanz. K.K.

Schmuckteller

H. Schneider, Firma LUSA
Saarbrücken, 1987
Porzellan, Umdruckdekor, Dm. 20 cm
Inv. Nr. 96/102

Die Fernsehserie ›Schwarzwaldklinik‹ schrieb mit Beginn ihrer Ausstrahlung am 22. Oktober 1985 durch außerordentliche Zuschauerzahlen Fernsehgeschichte. Jenseits ihres rein medialen Konsums wurde die Serie auch zum gesellschaftlichen Phänomen. Sie provozierte eine außergewöhnliche Form ›moderner Wallfahrt‹ zum populären Drehort und steigerte dadurch noch unmittelbar das positive touristische Image des Schwarzwaldes. B.H.

Ein Euro

Staatliche Münze Karlsruhe
Datiert 2002 (geprägt seit 1999)
Entwurf der nationalen Seite:
Heinz Hoyer und Snechana Russewa-Hoyer, Berlin
Entwurf der Wertseite: Luc Luycx, Brüssel
Bimetall, Rand: Kupfer-Zink-Nickel Legierung, Mitte: 3-Schichten-Werkstoff ›Magnimat‹ (Nickel mit Kupfer-Nickel), Dm. 2,32 cm
Ab 2002 in der Sammlung

Seit 1999 ist der Euro die gemeinsame Währung in 11 Ländern der Europäischen Union. Damit ist ein besonders wichtiger Schritt auf dem Weg zur europäischen Einigung vollzogen. In einer Übergangsphase bis Ende 2001 existiert diese Währung zunächst nur ›auf dem Papier‹ bzw. in den Computern. Erst ab 1. Januar 2002 werden die neuen Scheine und Münzen ausgegeben werden. Die europäischen Münzen zeigen in allen Ländern eine gemeinsame Wertseite. Die Rückseite wird von den ausgebenden Staaten mit nationalen Motiven gestaltet. In Deutschland werden die Euro-Münzen weiterhin in den fünf bestehenden Münzstätten, darunter Karlsruhe, geprägt. P.-H.M.

III. Sonstige Einrichtungen

Referat für Museumspädagogik

Mit rund 300 000 Besuchern jährlich ist das Badische Landesmuseum das meistbesuchte Museum des Landes Baden-Württemberg. An dieser erfolgreichen Bilanz ist die sehr publikumsfreundliche Vermittlungsarbeit des Museums maßgeblich beteiligt. Das Referat für Museumspädagogik erarbeitet hierfür Konzepte und Veranstaltungsprogramme, die den unterschiedlichen Interessen und Wünschen der verschiedenen Besuchergruppen entgegenkommen. Zur größten Gruppe der Besucherschaft gehören Schulklassen aus allen Schularten und Altersstufen. Für sie bietet der Themenkatalog ›Erlebnisort Museum‹ eine große Auswahl an Themen und möglichen Projekten im Museum an. Besonders beliebt sind sog. handlungsorientierte Unterrichtsgespräche, d.h. altersspezifisch und facherübergreifend angelegte Themenführungen, sowie ›Pädagogische Tage‹, die von Lehrerkollegien auch für ihre Fortbildung genutzt werden können.

Schauspieler vermitteln Alltagsszenen der Antike vor der ›Tempelfront‹

Des weiteren werden Begleitprogramme zu den meisten Ausstellungen sowie zu den jährlichen Museumsfesten erarbeitet sowie Auftritte von Schauspielerinnen und Schauspielern in den Sammlungsräumen oder in den Ausstellungen (Museumstheater) konzipiert. Kinder, Jugendliche und Erwachsene können in Aktionsräumen an Workshops teilnehmen oder künstlerisch und praktisch in den Offenen Werkstätten arbeiten. Auch den eigenen Geburtstag kann Jedermann auf Wunsch im Museum feiern. Zu den Spezialitäten des Referats gehört eine Reihe von liebevoll gestalteten ›Kinderführern‹, die mit Spaß und Anschaulichkeit in die Sammlungen des Badischen Landesmuseums einführen. Langfristig arbeitet das Referat auch an der publikumsorientierten Neukonzeption der Sammlungen und der Ausstellungen. G.K.

Bibliothek

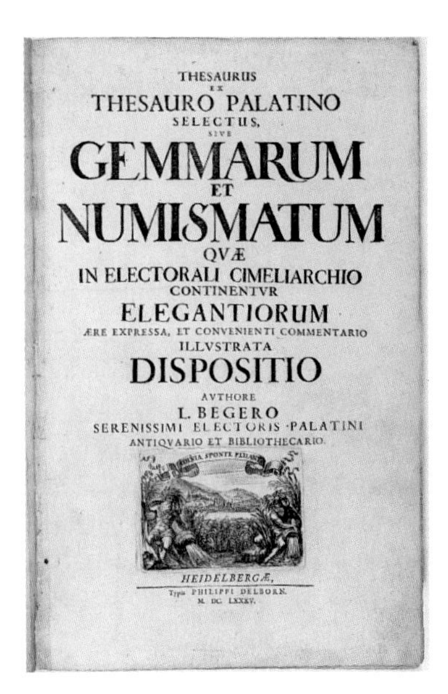

THESAURUS
EX
THESAURO PALATINO
SELECTUS,
SIVE
GEMMARUM
ET
NUMISMATUM
QVÆ
IN ELECTORALI CIMELIARCHIO
CONTINENTVR
ELEGANTIORUM
ÆRE EXPRESSA, ET CONVENIENTI COMMENTARIO
ILLVSTRATA
DISPOSITIO
AVTHORE
L. BEGERO
SERENISSIMI ELECTORIS PALATINI
ANTIQVARIO ET BIBLIOTHECARIO.

HEIDELBERGÆ,
Typis PHILIPPI DELBORN.
M. DC. LXXXV.

Lorenz Beger, Thesaurus ex thesauro palatino selectus, Heidelberg, 1686

Aus der Sammeltätigkeit der badischen Markgrafen haben sich das Badische Landesmuseum und auch seine Bibliothek entwickelt. Unter Markgraf Karl Friedrich von Baden (1728–1811) war dem Schloss ein eigener Bau für die Bibliothek, das Münzkabinett und weitere Sammlungen angefügt worden. Hier befindet sich die Bibliothek auch heute wieder.

Die Bestände der Bibliothek entsprechen den Sammelgebieten des Badischen Landesmuseums und spiegeln sie in der präsenten internationalen Literatur: Vor- und Frühgeschichte, Antike, Numismatik, Plastik, Kunstgewerbe, Volkskunde, Kulturgeschichte und Museumspädagogik.

1955 wurde die Bibliothek des Badischen Landesmuseums mit der der Staatlichen Kunsthalle Karlsruhe organisatorisch unter eine Leitung gestellt; die getrennte Aufstellung wurde beibehalten. Diese Bibliothek der Staatlichen Kunstsammlungen Karlsruhe hat inzwischen einen Gesamtbestand von ca. 200 000 Bänden und zählt zu den großen Spezialbibliotheken für Kunst- und Kulturgeschichte.

Die Bibliothek des Badischen Landesmuseums ist heute in erster Linie eine Forschungsbibliothek und gleichzeitig als Präsenz-Bibliothek öffentlich zugänglich. Sie weist aktuell einen Bestand von ca. 70 000 Bänden auf mit Literatur aus dem 16.–20. Jahrhundert. Alte und seltene Drucke sind vor allem zur Münzkunde und zur badischen Geschichte vorhanden.

711 kunsthistorische Zeitschriften sind verzeichnet; 311 davon werden derzeit laufend gehalten. Erwähnenswert ist der umfangreiche Bestand an Auktions- und Kunsthandelskatalogen. Die Bibliothek ist systematisch aufgestellt und durch einen alphabetischen Katalog sowie zwei Ortskataloge für die Ausstellungs- und Bestandskataloge von Museen und anderen Kunstinstituten erschlossen.

Der Bedeutung der Bestände entsprechend sind diese z.T. im ZKBW und im SWB verzeichnet und über den Deutschen Leihverkehr auch für externe Leser verfügbar. Teilbestände sind im Karlsruher Virtuellen Katalog KVK aufgelegt und somit auch im Internet recherchierbar. S.M.-W.

Außenstellen und Zweigmuseen

Museum in der Majolika-Manufaktur
Ahaweg 6, 76131 Karlsruhe
täglich außer Montag 10–13 Uhr und 14–17 Uhr*
Tel. 0721/926-65 83
(während der Öffnungszeiten)

Museum beim Markt – Angewandte Kunst seit 1900
Karl-Friedrich-Straße 6,
76133 Karlsruhe
Dienstag–Donnerstag 11–17 Uhr*
Freitag–Sonntag,
Feiertage 10–18 Uhr*
Tel. 0721/926-65 78
(während der Öffnungszeiten)

Museum Mechanischer Musikinstrumente
Museum Höfische Kunst des Barock
Schloss Bruchsal, 76646 Bruchsal
Dienstag–Sonntag 9.30–17 Uhr*
Tel. 07251/74 26 61

Römermuseum Osterburken
Römerstraße 18 (Ecke Kreuzstraße),
74706 Osterburken
Mittwoch, Samstag und Sonntag
14.30–16.30 Uhr*

Voranmeldungen für Führungen auch außerhalb der Öffnungszeiten über die Gemeindeverwaltung Osterburken, Tel. 06291/40 10

Klostermuseum Hirsau
Calwer Str. 6, 75365 Calw-Hirsau
Samstag und Sonntag 14–17 Uhr*
Voranmeldungen für Führungen auch außerhalb der Öffnungszeiten,
Tel. 07051/96 88 66 und 96 88 55,
Fax 07051/96 88 77

Keramikmuseum Staufen
Wettelbrunner Str. 3,
79219 Staufen i.Br.
Mittwoch–Samstag 14–17 Uhr*
Sonntag 11–13 und 14–17 Uhr*
Führungen nach Vereinbarung
Tel. 07633/67 21 und 0761/7032211

Landesstelle für Volkskunde
Günterstalstraße 70,
79100 Freiburg i. Br.
Tel. 0761/7032210

Nordschwarzwaldmuseum Schloss Neuenbürg
75305 Neuenbürg
Tel. 07082/41 34 34
E-Mail:
schloss.neuenbuerg@t-online.de
Montag geschlossen
Dienstag–Freitag 14–18 Uhr*
Samstag u. Sonntag 11–18 Uhr

* Bitte erkundigen Sie sich vor Ihrem Besuch nach den aktuellen Öffnungszeiten.